WERNER BERGENGRUEN · DIE HEILE WELT

WERNER BERGENGRUEN

DIE HEILE WELT

Gedichte

IM VERLAG DER ARCHE · ZÜRICH

BALLADE VOM WIND

Preist den Wind! Gott gab dem Winde
oberhalb der Erdenrinde
alles in sein Eigentum,
alle Meere, alle Länder,
gab ihm Masken und Gewänder:
Tramontana und Samum,
Zephyr, Blizzard, Föhn und Bora,
Mistral, Eurus und Monsun,
Hurrikan, Passat und Ora
und Tornado und Taifun.

Schuf ihn zum Herold und Herrn der Gezeiten,
ließ ihm Willkür und gab ihm Gesetze,
Sternenbilder heraufzugeleiten
und dem Gewitter den Weg zu bereiten,
wies ihm Rennbahn und Ruheplätze.

Wälderdurchbrauser und Steppendurchschweifer,
dunkler Bläser und heller Pfeifer,
hetzt er Schwalbe und Kormoran,
wühlt in den Mähnen der jagenden Rosse,
schleudert er Drachen, Schiffe, Geschosse,
Adler und Geier aus ihrer Bahn.

Kerzenverlöscher und Flammenschürer,
Nebelzerteiler und Wolkenführer,
schäumiger Wellen johlender Freier,
Trinker der Tränen, Zerreißer der Schleier,

rauchblau, schwärzlich und hagelweiß,
Tücherbauscher,
Seelenberauscher,
kindlicher Spieler und zorniger Greis.

Ungebändigt im Springen und Streunen,
reißt die Dächer er von den Scheunen
und von den Herzen die Schwermut los,
kühner Beflügler, ewiger Dränger,
mächtiger Löser und Kettensprenger,
Felsenrüttler und Wipfelbeuger,
großer Zerstörer und größerer Zeuger,
Flötenruf und Posaunenstoß,
reisiger Feger des Himmelshauses,
Abbild des pfingstlichen Geistgebrauses –
preiset den Wind! Der Wind ist groß.

Als der alte Ruhelose,
Segelmacher, Seebefahrer
früh am Sankt Josephitag
auf dem letzten Bette lag,
und die junge Krankenschwester
mit der weißen Flügelhaube
sich zu ihm herniederbeugte,
fuhr erschrocken sie zurück.
Von den bartumstarrten Lippen
sprang ihrs wie ein Stoß entgegen,
und der Haube weiße Flügel
flatterten wie Schneegewölk.
Wars ein Aufschrei, dem die Laute

nicht mehr sich gefügig zeigten?
Wars ein Seufzer, wars ein Hauch?
Schreie nicht noch Seufzer haben
solche Kraft und solche Wildheit.
Nein, die ruhelose Seele
schied sich ungestüm vom Leibe,
und die Schwester schlug ein Kreuz.
Schloß ihm mit geübten Händen
sanft die wasserblauen Augen,
öffnete den Fensterspalt.

Hui! Da schoß es durch das Zimmer
aus des Bettes Ecke her.
Bilder klirrten an den Wänden,
Glasgefäße auf dem Tisch.
Mit Gefauche und Gezisch
stieß es an die Spiegelscheibe,
trübte sie für Augenblicke.
Wie ein eingeflogner Vogel
prallte es von Wand zu Wand,
bis es blind das Fenster fand.

Draußen heulten die Gefährten,
Totengeister, Wirbelwinde,
Wolkenreiter, Wasserfurcher
ihrem endlich Heimgekehrten
tausendstimmig zum Empfang.
In den Telegraphendrähten
brauste wilder Märzgesang,
daß die Fahnen an den Stangen,

Hemden sich am Seile blähten,
vom Gesims die Regentraufen,
Schindeln von den Dächern sprangen.
Fetzen, Staub und Kehrichthaufen
wirbelten aus ihrer Ruh.
Und wie leichte Sommerfäden
bogen sich die Lindenäste.
Zweige brachen, Blitzableiter
rasselten und Fensterläden,
Türen schlugen krachend zu.

Die vertrauten Sturmgeschwister,
Wasserfurcher, Wolkenreiter,
Wirbelwinde, Totengeister
stoben weiter.
Und sie fauchten in Spiralen
um ergraute Kathedralen,
rannten auf den Orgelboden,
griffen, rasende Rhapsoden,
in die Pfeifen und Register,
jagten aus den Wolkenhöhen
immer wilder, immer gröber
weißlichgraue Regenböen,
Sonnenstrahlen, Schneegestöber,
Hagelschloßen vor sich her,
zausten Schiffe in den Häfen,
peitschten das geliebte Meer,
tobten um der Berge Schläfen,
stürzten sich auf Bruch und Forsten,
daß die schwarzen Tannenborsten

tief sich bogen, hoch sich sträubten.
Ohne Pause und Erlahmen
liefen sie durch Sumpf und Heiden,
durch das bleiche Gräserhaar,
griffen sie nach Nuß und Weiden,
daß zu schäumendem Besamen
herrlich Gold und Silber stäubten!

Und der alte Ruhelose,
Segelmacher und Matrose
jagte mit der Geisterschar
aller Gräberwelt zu Häupten,
dem Lebendigen zum Preise,
wie es vor dem Anfang war.

Also trieben sie die Reise,
trunken, als ein toller Schwall,
fuhren sie in Windgottsweise
jauchzend um den Erdenball.

DIE VIER ELEMENTE

Höre, Volk, den Dichter, hör den Weisen,
der die alte Vierzahl heilig nennt!
Gott der Herr, gevierfacht sich zu preisen,
setzte Element um Element.

Allen Dingen sind sie eingewoben,
Brennen, Fließen, Wehen und Beruhn.
Und der Mensch, die Schöpfung ganz zu proben,
muß den Gang durch solche Vierfalt tun.

Feuer, Feuer ists, dem wir entstammen!
Feuers Brunst hat Leib zu Leib gebeugt,
und zwei Flammen loderten zusammen.
Feuer, Feuer ists, das dich gezeugt!

Linde Fluten quollen dir entgegen,
nährend schloß dich stilles Wasser ein.
Und zu ungestümerem Bewegen
wuchs dir langsam Ader, Haut und Bein.

Neunmal füllten sich der Vierzahl Wochen.
Aus der fruchtbar dunklen Muttergruft
bist du Drängender hervorgebrochen,
und du atmetest die süße Luft.

Herb und schmeichelnd hat sie dich empfangen,
Amme, Herrscherin, Gespiel und Braut,
drängte dich und kühlte deine Wangen,
brach das Licht und gab der Zunge Laut.

Glut und Strömung reißen dich zu Taten,
allen Stürmen gattet sich dein Schrei –
kreischend in die Erde fährt der Spaten,
und er legt die letzte Hausung frei.

Haben wir dich treulich einbefohlen
in die Hut des vierten Elements,
rauschen Fittiche, dich heimzuholen,
und so gehst du in die Quintessenz.

Also ist die Pilgerschaft gemündet
und die Bahn im goldnen Ziel verklärt.
In den vieren ist die Welt gegründet
und vom fünften strahlenhaft genährt.

Wandrer, heiße alle Ängste schweigen,
niemals fällst du aus der Schöpfung Schoß,
bist ein Sohn in seinem Erb und Eigen,
und dein Erbe ist unmeßlich groß.

DISKUSWERFER

Für Rudolf Alexander Schröder

Märzenberauschten Vergeudern
euch ist die Erde hold,
wenn ihr im Springen und Schleudern
durch die Arena tollt.

Werft ihr die Scheibe im Spiele,
werft euch mit ihr dahin!
Rennt! Und fragt nach dem Ziele
nicht. Der Lauf ist Gewinn.

Uns ward andres befohlen,
da der Frühling uns mied:
strengerer Diskobolen
einsames Opferlied.

Wolle das Auge sich schärfen,
mache der Arm sich bereit,
den goldenen Diskus zu werfen
in die Unendlichkeit.

Gott hat den Sommer lieb, drum hat er nicht gewollt,
daß er in Regenflut und Trübsal altern sollt.
Mit aller Lieblichkeit und Fülle ausgeschmückt
hat er ihn gnadenvoll der argen Zeit entrückt.
Trug eine Schwalbe ihn hoch durch beglänzte Luft?
Ward ihm zur Schlummerstatt die Pyramidengruft?
Wie Noah mit Getier und Kind zur Arche schritt,
so gab dem Sommer Gott die werten Gaben mit:
ein Tröpfchen Honigseim, ein Fädchen Sonnenschein
und eine Ähre Brot und eine Beere Wein.
Von keinem Frost versehrt, vom Nebel nicht benetzt,
so bleibt er alterslos erhalten unverletzt.
Erkenne, wenn die Welt zersplittert und vereist,
das herrlichste Gesetz, das Überdauern heißt.
Brich auf und gehe still in deine Heimlichkeit,
denn allenthalben gilt die vorbemessne Zeit.
Das Kostbare nimm mit, so wird die edle Art
in heller Sommerskraft der Künftigkeit gespart.
Verlob dich der Geduld und traue unverzagt.
Mensch, der zu Grabe fährt: dies ist auch dir gesagt.

Färben die Wolken sich zarter?
Wo gewahrst du noch Nacht?
Schließe die Augen, Bejahrter,
und so ist es vollbracht.

Fühle: die Ströme vergleiten
rückwärts zum goldenen Quell.
Die verwitterten Zeiten
baden sich jung und hell.

Trauernde Weidenruten
heben sich grün ins Licht,
netzen mit Tropfenfluten,
blinkenden, dein Gesicht.

Uralte Göttersagen
wehen über dich hin.
Und so wirst du getragen
heim in den Anbeginn.

EFEUBALLADE

Die Kinder waren gnomenklein.
Vier Gruben hob ich aus.
Vier Efeupflanzen senkt ich ein
am neu erstellten Haus.

O immergrünendes Gelock,
von großer Kunde schwer,
des Weines dunkler Bruderstock
und gottgeweiht wie er!

Dem Frühling gibst du deine Frucht
und blühst im späten Jahr,
ein Fremdling in der Zeitenflucht
und unveränderbar.

Du windest zäh und schlangengleich
dich aus verborgner Welt,
des Tages gastlichem Bereich
als Mahner zugesellt.

Die junge Hausung schlossest du
an stummen Vorzeitbann,
an Wiederkehr und Schattenruh
und kühle Dauer an.

Und wie ein Spiegel blank und glatt
und mit gelassnem Sinn,
so gabst du nächtlich Blatt um Blatt
den Mondenstrahlen hin.

Es bot dein raschelndes Geflecht
dem Herbstwind irre Rast.
Der Toten währendes Geschlecht
ludst du bei mir zu Gast.

Du kränztest gern zum Namenstag
den Kindern Tisch und Tuch,
und manchmal mir als Zeichen lag
ein grüner Pfeil im Buch.

Rostrot hat dich der Frost verbrannt,
so schnitt ich Trieb um Trieb,
und nur im schwarzgedüngten Land
das Wurzelwerk verblieb.

Viel Gärtnermühe habe ich
und Lieb daran gesetzt
und alle vier geschwisterlich
gewartet und genetzt.

Und sieh, der Efeu quoll und schwoll,
getreu wie Grab und Eid.
Er klomm geduldig Zoll um Zoll
und maß geheim die Zeit.

Verwichnes Jahr kam in das Haus
ein neuer Wirt herein.
Der reutete den Efeu aus
und setzte wilden Wein.

Das war mir leid, doch weiß ich ja,
daß nie ein Ende ist,
und was in rechtem Sinn geschah,
geschah für alle Frist.

Was ich gepflanzt, verblieb in Kraft,
und also, immer neu,
rankt unterm Weine geisterhaft
die tausendarmige Treu.

DIE MEISE

Könnte ich dir sagen, kleine Meise,
wie ich dir so wohl gesonnen bin!
Lockend vor dem Fenster liegt die Speise,
doch du Ängstliche wagst dich nicht hin.

Und wie oft du hurtig angeflogen,
zitternd zwischen Bängnis und Begehr,
jedesmal hats dich zurückgebogen
und gezwungen doch zur Wiederkehr.

Immer wohl im winzigen Flügelleibe
wird das Herz dir vor Erschrecken kalt,
siehst du durch die unbegriffne Scheibe
düster meine riesige Gestalt.

Jetzt! Im Fluge griffest du die Beute,
birgst sie flink in Zweigicht und Genist.
Wüßtest du, daß i c h die Nahrung streute,
ohne Feindschaft, ohne Hinterlist,

daß du Gerngeschenktes fortgetragen,
fürchtig wie gestohlenen Gewinn –
kleine Meise, könnte ich dir sagen,
wie ich dir so wohl gesonnen bin!

Ach, es bangte dir vor keinem Zorne,
kämest wie der fromme Hund zum Herrn,
selig schmaustest du von fettem Korne
und der Sonnenblume süßem Kern.

Ließest dich auf meiner Schulter nieder,
und die Krume nähmst du mir vom Mund,
kehrtest traulich alle Morgen wieder,
und wir schlössen einen langen Bund.

Ihr in Wipfeln und in grauen Nestern,
Ruhelose zwischen Flucht und Schmaus,
kleine Meisen, meine scheuen Schwestern,
wie getreu sprecht ihr mich selber aus!

Allenthalben ist mein Tisch gerichtet,
weißes Brot und schwarzer Wein im Krug,
Süß und Bitter ward mir zugeschichtet,
und der große Wirt ist ohne Trug.

Ach, es bangte mir vor keinem Grimme
und mich drückte keine Kümmernis,
ach, verstünde ich nur seiner Stimme
stille Ladung: Nimm getrost und iß.

DIE HIMMLISCHE RECHENKUNST

Was dem Herzen sich verwehrte,
laß es schwinden unbewegt.
Allenthalben das Entbehrte
wird dir mystisch zugelegt.

Liebt doch Gott die leeren Hände,
und der Mangel wird Gewinn.
Immerdar enthüllt das Ende
sich als strahlender Beginn.

Jeder Schmerz entläßt dich reicher.
Preise die geweihte Not.
Und aus nie geleertem Speicher
nährt dich das geheime Brot.

DER BEHÜTETE

Ich, mit Vergänglichkeit geschlagen,
ein Spielball jedem Widerpart,
bin alle Stunde aufgetragen
den Engeln Seiner Gegenwart.

Ein Aschendunst im Ungefähren,
ein Halm, den jeder Hauch verjagt –
und dennoch ist ein Überwähren
mir unbegreiflich zugesagt.

Ich weiß, ich bin aus Glut geboren,
getauft mit feuriger Tinktur,
und ewig bleibt mir eingeschworen
die salamandrische Natur.

Ich weiß, ich soll in Schwall und Schwebe
ein fest beruhendes Gestein
und wie asbestenes Gewebe
im Feuer unverbrennbar sein.

GROSSER HERBST

Großes Lob hat Gott sich zugerichtet
aus den Zeiten, aus dem Sternenkreis.
Langsam ist des Sommers Kranz gelichtet,
und die Stirn gibt ihn erbötig preis.

Vogelwolken stieben von den Gärten,
Felder stehn geräumt, und Beete glühn.
Unsern sanften Wiesengrund zu härten,
wird sich bald ein früher Nachtfrost mühn.

Schauert nicht sein Vorgefühl in Winden,
nicht im Rascheln flammenfarbnen Weins?
Kühler Anhauch weiß uns aufzufinden
in der Süße selbst des Mittagsscheins.

Und Orion hebt sich, der Titane,
großer Ahnherr aller Jägerschar,
triumphierend aus dem Ozeane
und besiegelt riesenhaft das Jahr.

Früh am Abend hält er sich verhohlen,
erst die Mittnacht bringt der Jagd Beginn,
seine Hunde fiebern schon verstohlen
heiß und züngelnd nach der Beute hin.

Hell am Gürtel funkelt sein Geschmeide,
silbern flammt das kurze Jägerschwert,
aber nie verläßt es seine Scheide,
und der Abflug ist dem Pfeil verwehrt.

Denn in jener hohen Bildersphäre
hat das Flüchtige stete Gegenwart.
Ewig ihrer Sichel harrt die Ähre,
und der Löwe ist im Sprung erstarrt.

Ewig krümmen Drache sich und Schlange
und erwarten scheu den Bogenschuß,
ewig flüchtet sich der Walfisch bange
in die Fluten des Eridanus.

Schwan und Adler spannen ihr Gefieder,
doch der dunkle Horst entläßt sie nicht,
fruchtlos dehnt die Jungfrau ihre Glieder,
und die Waage bleibt im Gleichgewicht.

Stumme Heldenlieder träumt die Leier,
und der Becher hält den Wein gespart,
kampflos steht Andromedas Befreier,
und der Fuhrmann rüstet nur die Fahrt.

Einmal aber wird die Zeit gewogen,
alles Starre löst sich aus dem Bann,
einmal schnellt Orions Pfeil vom Bogen,
und die Hunde springen heulend an.

Jauchzend stürmt er durch die Sternengassen,
und sein Erz wird roter Flammenschein.
In die erste Leidenschaft entlassen,
erntet er die goldne Tierwelt ein.

Berstend sprüht die Leier ihre Klage
und der Schwan den süßen Sterbepsalm,
ihrer Schalen eine senkt die Waage,
und die Ähre stürzt gefällt vom Halm.

Von der Krone klarem Mosaike
splittern Trümmer, feurig abgetaut,
und der Königsgattin Berenike
immerjunges Silberhaar ergraut.

Da der letzte Trank im Becher schäumte
und der Wölbung edles Maß zerriß,
Stier und Löwe sich verendend bäumte
in der ungeheuren Finsternis,

da die heiligen Zwölf im Sturm verwehten
und der Milchbahn Schleier hingeblaßt, –
welche Zeichen weisen den Planeten
noch die Straße und die sichre Rast?

Oder werden auch die sieben alten
Wandrer nicht mehr ihre Kreise drehn?
Welchen Herbsten sind wir aufbehalten?
Vater, laß uns nicht verloren gehn!

RUHM DES MENSCHEN UND
SEINER ZUKUNFT

Das Unendliche mindert sich nicht,
wenn das Endliche wächst.
Und das Geheimnis verbleibt.

Rühmen will ich den hütenden Sinn
und rühmen der Ehrfurcht
treues Kindheitsspiel, von Schauern der Frühzeit
Ungescholten auch sei mir der innige,   [genährt.
herzgeborene Irrtum,
dem das langher Gewohnte, das
urväterlich Überkommene
als ein Ewiggesetztes gilt,
unveränderbar.

Rühmen aber will ich
tönender, morgenheller,
rühmen des Menschen Freiheit und Macht.
Lob singen will ich
seiner äußersten Verwegenheit.

Denn in ihr ist gehorsam der Mensch,
und gehorsam in Leidenschaft!
Dem Leben gehorsam, der Schöpfung
und dem Geheiß, das an Adam erging:
untertan sich zu machen
alles Geschaffene.

Jedes Erschienene lebt
anders nicht
als in des Menschen Auge und Sinn.
Die geschaffenen Dinge,
sichtbare, unsichtbare,
heben an zu sein
erst, wenn er sie, der Namengebende,
zu eigen fand und ihnen Grenzen gab,
umzirkend sie mit seinem Wort.

O nie genug gepriesenes Vorrecht, unverscherzt!
Du, Mensch, des Königs vielbefleckter Sohn,
bliebst wertgehalten, an der Schöpfung so
teilnehmend, Adams Tun
vollendend, deinen Kräften Spiel zu geben,
und keine Schranke wurde dir gesetzt.

So schleudere die angeerbte Furcht hinweg.
den Schauer vor dem Schrecknis,   [Verwinde
den die Unermeßlichkeit
dir kalt entgegenhaucht.
Ein Weltenstück ums andre ringe
ihr ab und zwinge es getrost
in deine Herrschaft: in die Meßbarkeit.
Dein Geschlecht wurde
hingeschaffen aufs Künftige.
Schrecknisse aber sind
die Ammen der Zukunft.

Ein Bruder sei dir jeglicher Planet
und eine Schwester jede neugefundne Kraft.
Der Liebesklang, darin sich dröhnend
noch unerkundete Gestirne drehn,
soll Wiegenlied für deine Enkel sein.

Zertrümmrer der Atome, Überspringer
des Raums, zertrümmre, überspringe auch
das letzte Graun in dir. Im Wagnis glühend
laß hinter dir verwitterndes Gehäus. Du bist
zur höchsten Freiheit königlich berufen.
Raumschiffe rüste du zum Start
und in den Ozean der Stratosphäre grabe
kühn deine Furchen ein.

Und was an Schleierwerk, perlmuttern schimmernd,
und was an Schatten, dämmerig vertraut,
mit sanftem Anspruch dir den Blick
zu hüllen trachtet, – und du hasts geliebt!
und was an Trümmern, väterlich umgrünt,
am Weg dir liegen bleibt, es darf
dich nicht bekümmern.
Philemons und der Baucis Hütte ging
mit jenem Brunnen, da Elieser trank,
ins Gleichnis ein. Sie wird sich fromm bewahren
und immer wieder aufgefunden sein.
In jener Sphäre,
da Raum und Sinnbild ineinanderfließen,
begegnest du auch ihr, begegnest allem,
das frühe du geliebt. Nichts ist verloren.

Rühmen will ich Raketen und Projektile,
Protonen und Elektronen,
rühmen Uran und rühmen die Energie,
der die Hand des Menschen
zu seinem Dienste die Freiheit zurückgab.

Denn all diese rühmen den Herrn.
Rühmt ihn, erkannte Kräfte,
und ihr unerforschten, verkündet
geheim, Engeln nur hörbar,
sein Lob.

Längst wuchs zur Kugel der Kreis. Wohin
entwächst uns die Kugel?
Noch fanden wir nicht,
faßbar zu machen das dennoch Faßliche,
Bilder und Namen.

Fort aber wölbt sich der Raum. Er kann
aus Gottes Hand nicht gleiten.
So reife er zu höherer Gestalt.
Er weite sich um Milliarden
von Sonnsystemen und von Sternenreichen
jenseits der nachbarlich vertrauten Milchbahn fort.

Auch dieser Gestirne Engel knieen vor Gott
und rufen in Ewigkeit:
«Sanctus, Sanctus, Sanctus
Dominus Deus Sabaoth!»

Einstimmend in ihren Ruf heiße du
des Endlichen Wachstum mit Jauchzen willkommen.
Denn das Unendliche mindert sich nicht,
wenn das Endliche wächst.
Und das Geheimnis verbleibt.

DIE MITTE

Wen verlangt es, zu wohnen im frühesten Licht,
und wen, in das uralte Dunkel zu steigen?
Ach, verstünde das Herz nur sein Glück,
heimisch zu sein auf der salzigen, treuen,
der sternenumkreisten Erde –

in des Brotes Geruch und im frommen Garten,
im flockigen Schaume der Wiesen,
unter der Tulpe schilfigen Blättern
und dem spät ergrünenden Eschenbaum!

Da dringen ruhvoll die Ebenen an,
da rinnt von den Hügeln
voll Feuchte ein süßes Gedeihn,
das das Herz mit Genügsamkeit nährt.

Und oben erglüht
im Mittagsgestein der Felsen brütende Ödnis,
wo der Gott im Gesträuche schlief, und dort wohnt
das kündende Kraut, die weisende Schlange
und der Vögel silbrige Leichtigkeit.

Drunten aber, im Abgrund,
nährt die Tiefe
lichtloses, schwarzes Gewürm,
schatzhütendes, schweigendes Volk,
und in langen Reihen
sitzen die Toten beim ewigen Ruhemahl.

In der Mitte aber, sicher gebaut
unter friedfertigen Büschen,
hebt sich das Haus, umlagert
von silberfarbenen Rindern,
lind von Schwalben umstreift
und vom heimlichen Fittich des Nachtgetiers.
Am Haselstrauch bräunt sich die Nuß,
und aus dem Brunnen steigt
klares Wasser erquickend herauf,
nie versiegend.

Manchmal beugt sich ein Kind
über die Tränke von Holz
und erkennt verwundert das eigne Gesicht,
trübt dann mit raschem Hauch
lachend das Glatte,
springt davon, und die spiegelnde Fläche
ruht wie zuvor.

DIE REIHER

Regungslos, mit der Hälse heraldischem Beugen,
stehen die Reiher, unzählbar, konturenscharf
über den hurtigen grünlichen Wellen im silbernen Licht.

Sieh, das Leben, das edel geartet, bedarf,
sich zu bezeugen,
der Bewegungen nicht.

DER VERSIEGTE BRUNNEN

Der Mittag versengte das Laub.
Öder, verlassener Ort.
Vormals stand hier ein Hof. Das Feuer fraß ihn zu Staub.
Nur der längst schon versiegte Brunnen dauert noch fort.
Knechte haben hier Rinder und Rosse getränkt,
Wandrer im Sonnenbrand Stirn sich und Gaumen gekühlt,
Frauen die Eimer geschwenkt,
faltige Greisinnenhände Geschirre gespült.
Reiter forderten Trunk, eh sie drohend weitergejagt,
und die Erschrocknen bekreuzten sich stumm hinterdrein.
Einmal ertränkte ihr Kind hier eine blasse Magd.
Einmal, so sagt man, stürzte ein spielender Knabe hinein.
Einen goldenen Ring warf in den Brunnenschacht
einmal, von Tränen benetzt, eine zögernde, zitternde Hand.
Einmal bei Nacht
ward eine blutgerötete Axt hinuntergesandt.
Der verschwiegene Mund hielt alles Geheimnis bewahrt.
Gleichmutsvoll nahm er, wie er voll Gleichmut gegeben.
Nun verschließen ihn Steine, von Gräsern behaart,
Nesseln und Königskerzen und trockene Spinneweben.

Aber nichts, das jemals lebte, verdorrt!
Tief im dunklen Gelaß
feuchtet und fruchtet noch fort
das begrabene Naß.

ALTES FLUSSBETT

Jahre schon sinds, daß mich Flut und Forellen gemieden.
Jahre schon lieg ich verlassen im brütenden Mittagsfrieden.
Einstmals durchschoß mich die hurtige Strömung in steiner-
nen Rinnen,
Wellen sprangen wie junge, hellhaarige Tänzerinnen!
Scherben decken und Kiesel und Rostgeschirr die verödete
Stelle,
und nur der Gräser fließend gebeugter Wuchs verrät noch
das alte Gefälle.
Falter suchen mich auf und Käfer und bläuliche Fliegen,
Kinder im Spiel und die rupfenden Mäuler der Ziegen.
Manchmal nach langem Regen sammeln sich Lachen,
dann bedrückt mich ein fernes Erinnern, ein halbes, beklom-
menes Erwachen.
Manchmal des Nachts zur schwülen, gewittrigen Stunde
spür ich ein Zucken, ein Zerren, ein Drängen auf meinem
Grunde.
Manchmal umirren Wassergeister und Seelen Ertrunkner
mein Bette,
suchen im Mondlicht umsonst die schaurig vertraute Stätte,
suchen umsonst die zitternde Spiegelfläche aus alten Jahren,
gierig bedacht, einen Rest der eignen Gestalt zu gewahren,
nur einen Hauch, einen Umriß, daß etwas von ihnen doch
bliebe –
aber sie finden Gestrüpp nur und Abfall und Schuttgeschiebe.
Und mit den Frühnebeln sind sie zerrinnend geschieden.
Mittags lieg ich verlassen im heißen, brütenden Frieden.

DAS GETREUE

Der Pilze feuchten Geruch an Händen und Haaren,
kehr ich von Bergen und aus dem dämmernden Wald.
Vorweltjahrtausend hab ich und Väterzeiten erfahren,
und wie Vipernhäute verließ ich Gestalt um Gestalt.

Wie erkenn ich der Menschen Gärten und Schmieden und
Gassen,
wie ein Gesicht und ein Haus und ein Zeichen, gehauen in
Stein?
Was ich in Blüten und hell und voll schwellender Früchte
verlassen,
trat in die Schwermut unendlicher Abende ein.

Greisende Frauen mit Krügen, lasttragende, bärtige Männer,
waren sie Kinder nicht, da ich von ihnen ging?
Roter Sommer, kristallener Herbst und der blaugelbe Föhn-
wind im Jänner
schlossen den Brautreif, den Lobkranz, den ehernen Fessel-
ring.

Aber noch steht der Turm, den die Hände der Toten gemauert,
und den Friedhof umzieht schwarz grünend das Efeugeflecht.
Und der raunende Brunnen, der nächtliche, überdauert
Geschlecht um Geschlecht.

DIE GEISSE GAUGELOREN

Ich bin die Geiße Gaugeloren.
Kein Bock hat mich gezeugt,
kein Schoß hat mich geboren,
kein Euter mich gesäugt.
Kein Hirt hat mich gehütet.
Mich hat die Sonne, die bleiche,
aus dem Schlamm im vertrockneten Teiche
zur Mittsommerstunde gebrütet.

Ich bin die Geiße Gaugeloren.
Ich wohne im heißen Gestein
bei Thymian und Krauser Minze.
Wenn des Sommers die Moose schmoren
im sengenden Mittagsschein,
dann lieg ich und blinze
vom glühenden Hange
in das goldgelbe Licht hinein.
Die kupferfarbene Schlange
schmiegt sich mir traulich ans Fell.
Sie ist mein Gespiel und Gesell.
Und sie weiß noch die uralte Zeit,
da alle sich vor mir neigten,
mir große Ehre erzeigten
und Jauchzen und Herrlichkeit.

Ich bin die Geiße Gaugeloren.
Totenweiß ist mein langer Behang.
Ich horche mit spitzen Ohren

auf der Bäche gelassenen Gang,
auf das Sommergesumme der Fliegen,
das Wipfelwiegen,
der Winde Geblase,
und das Wachsen in Baum und Grase.

Ich bin die Geiße Gaugeloren.
Der Winter tut mir nicht weh.
Auf den Lehnen und Mooren
schmilzt mein lodernder Atem den Schnee.
Da find ich zur Weide
vorjährigen Lauch,
junge Triebe am Strauch
und die rötliche Glockenheide.

Ich weiß in den Felsenritzen
die zarten, grünenden Spitzen,
das nährende, heilende Kraut.
Alles ist mir im Walde vertraut.

Alle kenn ich von je,
Wiesel und Reh,
Lurch, Kröte und Schneck,
meck meck meck meck.

Alle Tiere im Wald,
wie weit ich auch springe und klimme,
kennen meine Gestalt
und meine Stimme.
Ihre Zeit ist schmal,
sie paaren sich und vergehen.

Ihre Voreltern ohne Zahl
hab ich leben und sterben gesehen.
Ich allein bleibe da, sie alle müssen weg,
meck meck meck meck.

Um Mittag geistert ein Zwang
die öden Heiden entlang.
Den Herden, den Hunden, den Hirten,
den Kindern und den verirrten
Beerensuchern wird bang.
Sie lauschen und spähn übereck,
meck meck meck meck.

Manchmal queren Langholzfuhren
in den Wäldern meine Spuren.
Dann scheuen Rappe und Scheck,
meck meck meck meck.

Manchmal hört von fern ein kecker
Hüterbube mein Gemecker.
Doch bevor er mich sieht,
schreit er auf und entflieht.
Säh er mein Auge, er stürb auf dem Fleck,
meck meck meck meck.

Eine Höhle ist mir bekannt
in den schwärzlichen Felsenquadern,
wo kein Steiger haut
und kein Jäger den Zugang fand.

Es ziehn durch die dunkle Wand
die weißen, glänzenden Adern.
In der Früh, wenn das Zwielicht graut,
eh noch ein Vogel gerufen,
da klettr ich und springe
und stemme die Hufen
gegen die feuchten, schlüpfrigen Stufen.
Meinen Hals muß ich strecken und recken,
doch ich achte die Mühsal geringe
ums Lecken und Schlucken und Schlecken:
die heilige Schärfe und Kraft,
den heimlichen Grund aller Dinge,
den versteinerten Schöpfungssaft,
das göttliche Salz zu schmecken.

Einmal vor vieltausend Tagen
zog ich einen goldenen Wagen.
Wer saß darinnen?
Ich kann mich nicht mehr besinnen.

Ich weiß nur die schäumende Fahrt
über Wolken und Berggipfel hin.
Wie Donner scholl mein Gestampf.
Aus den Nüstern schnob mir der Dampf,
meine Hufe haben geglänzt,
meine Hörner waren bekränzt,
und wie Feuer flammte vom Kinn
mein spitziger, blitziger Bart.
Da sprang in die Dörfer der Schreck,
meck meck meck meck.

Der mich fuhr, kehrt einmal zurück
und erwirbt sich von neuem die Welt,
dann wird in ein einziges Stück
die entzweite wiedergestellt.
Nichts scheidet mehr Kraut und Getier
und Flut und Menschen und Stein,
dann neigen alle sich mir,
und alles ist wieder mein.
Dann braus ich aus meinem Versteck,
meck meck meck meck.

DER KOMPOSTHAUFEN

Hinter grünbemoosten Brettern,
wo der Garten sich verliert,
hebt sich aus verjährten Blättern
abgeschieden das Geviert.

Kürbisschalen, Blumenreste,
faule Frucht und welkes Kraut,
nasse Strünke, dürre Äste,
Eingeweide, Schuppenhaut,

bleiche, preisgegebne Dinge,
abgeschabt und ausgebeult –
Würmer, Asseln, Engerlinge
wimmeln, wesen engverknäult.

Oben summen Tausendschwärme
bläulich schillernd durch den Dunst,
unten in der dunklen Wärme
gärt und brodelt stumme Brunst.

Unablässiger Entfaltung
urgeheimes Schöpfungsbett –
und in heiliger Umgestaltung
quillt es schwärzlich, feucht und fett.

Wage nur, dem schwarzen Schoße,
Liebender, dich anzutraun!
Wirst die alterslose, große
Mutter, Braut und Schwester schaun.

Leben preist sich überschwenglich!
Wie ein ewiges Lobgebet
ist die Wollust unvergänglich
und die Brautnacht dauert stet.

DIE HEXE

Als ich klein war, mußt ich zur Kirche gehn.
Das war mir arg.
Die Kirche war anzusehn
wie ein steinerner Sarg.
Lange stand ich davor,
endlich stießen sie mich hinein.
Aber ich war doch noch klein,
und mich fror.

Sprach der Pfarrer vom Jüngsten Gericht,
von der höllischen Glut,
von der himmlischen Königin
oder vom heiligen Blut,
das gefiel mir nicht,
und da horcht ich nicht hin.

Aber oft sprach er von der Dreifaltigkeit
und nannte sie hochgelobt.
Das gefiel mir gut.
Denn Eins ist Drei, und Drei ist geweiht,
und Drei ist Eins über alle Zeit,
das hab ich erprobt.

Wenn die Menschen Gutes und Böses trennen,
Schwarz und Weiß,
Feuer und Eis,
Tag und Nacht,
Schlummer und Wacht,

weiß ich immer ein Drittes, ich kanns nur nicht
[nennen.
Denn die einige Welt war gezweit,
mit feurigem Schwerte geteilt.
Da dämpfte die Drei den Streit
und hat alles wieder geheilt.
Heilig ist die Dreifaltigkeit,
die will ich bekennen.

Ich bin ja nicht bös.
Warum müssen die Leute so lügen?
Ich laß mir genügen
an geringem Erlös.
Niemanden greife ich an.
Ich gönne sein Teil jedermann.
Nur mir vergönnen sie's nie.
Und ich bin doch nicht bös.
Ich bin nur nicht so wie sie.

Kämen sie achtbar zu mir,
führten ihre Kranken her,
ich bäte sie auf ein Glas Bier
und fragte nach ihrem Begehr.
Bestrich die geschwollnen Gelenke
mit Dachsfett und Wieselschmeer,
· sie machten mir hübsche Geschenke
und täten mir Ehr.
Ich bespräche die schwangeren Bräute
zu glücklichem Kinderkriegen,
ich segnete ihnen die Wiegen,
und wir wären höfliche Leute.

Einmal warfen sie mir die Scheiben ein.
Hernach bin ich lange umhergekrochen,
unterm Bett, unterm Schrank,
unter der fichtenen Ofenbank.
Jeden einzelnen Stein
hob ich auf und hab ihn besprochen.
Und wer bei den Werfern war,
kam keiner ins nächste Jahr.
Er siechte, schrumpfte, verdorrte.
Ich weiß ja die Worte.

Tret ich einmal in den Flecken,
will kaufen oder verkaufen,
da kommen sie aus den Häusern gelaufen!
Da gibt es ein Köpfezusammenstecken,
ein Zwinkern, ein Tuscheln, ein Reden.
Ich merke mir einen jeden.

Verwichnes Jahr, in der Nacht vor Johann,
hat ein zornmütiger Mann,
der Bockstaller Joseph, in mein Erbsenfeld
ein mannshohes Kruzifix
mir zur Kränkung hineingestellt.
Ich schlief, und doch spürte ichs augenblicks.
Warum tat er das nur?
Er wurde zuschanden.
Seine Kuh ward zur Unzeit gelt,
sein Schaf entlief vor der Schur,
seine Kinder faßte die Ruhr,
und sein Schimmel ist umgestanden.

Mein Zaun ist bewehrt
mit spitzen Stacheln und Scherben.
Wer hinüber begehrt,
muß sich Hosen und Hände verderben.
Meine Fenster sind von geschwärztem Glase.
In meinem Keller, da sitzt ein Hase,
der hat nur drei Beine.
Zwei sind für den Alten,
den Schwarzen, den Kalten,
und für mich ist das eine.

Er spinnt mir, er webt mir, er schlägt mir die
Aber ich geb ihm kein Futter.   [Butter.
Bei Nacht geht er streunen
und holt es sich aus den verschlossenen Scheunen.

Meinen Dachboden hütet und hegt
eine schneeweiße Otter.
Hinter meiner Kammer, da ist ein Kotter,
sauber geweißt und gefegt
mit Büscheln von trockner Salbei.
Meine kohlschwarze Henne legt
dort am Tage vor Vollmond ihr Ei.
Das Weiß ist von Silber, von Gold ist der Dotter,
und ihr Gackern wie Eulengeschrei.
Ich kanns nicht ändern, an diesen Tagen
haben die Leute im Dorf ihre Plagen:
ihre Hühner wollen nicht legen,
sie stolpern auf allen Wegen,

an gestrickten Börsen reißen die Maschen,
Geld fällt aus den Taschen.

Ich weiß, was ich tu.
Hab nur eine einzige Kuh,
meine Wiese ist allzu schmal.
Aber Butter und Milch hab ich allemal.
Wolln die Weiber im Dorf das Melken anfangen,
sie finden die Euter schon leer.
Das verwundert sie sehr,
und ich bin doch nicht aus dem Hause gegangen.
Ich melke das Handtuch, ich melke den Strick,
Zoll um Zoll,
der Eimer wird voll,
fremde Kuh wird mager, eigne wird dick.

Jung bin ich und rüstig gebaut
und schön bin ich anzusehn.
Kühl und glatt ist meine Haut.
Alle Männer haben die Gier,
mancher verlangt mich zur Braut.
Sie kommen wie Hunde gehüpft,
wie Hähne und Froschgetier,
Schock über Schock!
Manchem hab ich die Nestel geknüpft.
Keiner darf mit mir schlafen gehn
als der große schlohweiße Bock
in der Nacht vom letzten April,
doch davon schweige ich still.
Eiskalt ist sein Samen,

niemand nennt ihn beim Namen.
Manchmal bin ich vor Gierde ganz krank
nach dem beißenden Bocksgestank.

Ein Muttermal hab ich am Kinn.
Sie wühlten mit Nadeln darin.
Ich habs nicht gespürt,
da heißt es, ich sei überführt.

Aber was in der Folter mit verzerrtem Gesicht
wimmert und fleht
und endlich gesteht,
das bin ich ja nicht.

Mir geschieht nichts zu Leid,
denn ich bin ja unendlich weit.
Ich wohne tief hinter Haut und Bein
im verborgenen Mittelpunkt,
in Schweigen und Dunkel
wie ein schöner glaskalter Stein,
der genügsam im eigenen Scheine prunkt,
Kristall und Karfunkel.
Nichts kann ihn erreichen,
nichts ihn erweichen,
nichts ihn schneiden und stechen,
alles Eisen muß kraftlos zerbrechen.

Werd ich zu den Scheitern geführt,
tun alle mir Ehre an,

so wie sichs gebührt.
Die Glocken läuten im Chor,
und da stehen sie ohne Zahl
vom Markt bis ans Neustädter Tor,
Apotheker und Bettelmann,
Ratsherrin und Abwaschweib.
Sie heulen vor Freud und vor Wut
und zeigen mich ihrer Brut.

Der Henker, bärtig und geil,
er reißt mir die Kleider vom Leib
und bindet mich an den Pfahl.
Er schnürt mich hart
von der Schulter zur Zeh.
Aber da ist er genarrt,
denn es tut mir nicht weh.
Die Haut bleibt mir heil,
und wie flink frißt die Flamme das Seil!

Jetzt prasselt das Feuer empor,
ich hatte es immer gern,
es knistert und singt mir im Ohr,
und die Funken sprühn wie die Stern.
Aus den Hölzern schlängeln sich vor
die hurtigen Salamander.
Wir erkennen und grüßen einander.
Wir spielen und tanzen zusammen
in den kühlen, lieblichen Flammen.

Ist der Haufen niedergebrannt,
da fahr ich hinaus.
Ich flieg in ein anderes Land,
und die Winde baun mir ein Haus.

Aber einmal werde ich alt,
runzlig, dürr, ungestalt.
Dann ist es Zeit.
Ich hebe mich auf und rausche davon
in die blaue Barmherzigkeit.
In den ewigen Schnee,
an die indische See,
zu den Wasserflüssen von Babylon
oder den Gärten von Ninive.
Da springt ein verborgener Bronn,
weiß brausen die Fluten heran.
Was werde ich dann?

Eine helle Libelle,
eine blaugrüne Welle,
eine schlanke Forelle,
eine bunte Immortelle,
ein Trauerschwan
oder ein blühender Majoran,
ein heimliches, nächtliches Windchen
oder ein schwarzes Zigeunerkindchen.

TARANDONE

I

Vor der Schönen Pforte von Cassano
war dereinst ein Gärtner angesessen,
heiter schaffend, fromm die Sitten ehrend,
treubeflissen jeglichen Gebotes.
Seltne Blumen zog er hinter Scheiben
jedem Cassaneser Fest zum Schmucke.
Unbegreiflich war des Gartens Segen!
Zarter Lauch und fleischige Salate,
Artischocken, kühlende Melonen
reiften eher vor der Schönen Pforte
als in allen Gärten von Cassano.
Seine Birnen, Weichseln und Marillen,
seine Feigen, seine Mandeln kamen
allen großen Herren auf die Tafel.
Waren kaum die roten Erdbeerbeete,
kaum die Kirschenbäume leer geworden,
rann der süße Saft in goldnen Bächlein
von der Pfirsiche umflaumten Bällen.
Und im Hause wuchsen sieben Kinder,
sieben Kinder lachenden Gemütes,
schwarz von Augen, schwarz und kraus von Haaren.

II

Eines Vormittages im Gewächshaus
fühlte sich der Gärtner angerufen,

148252

staunend, denn es ließ sich niemand blicken.
Eine lichte Stimme war es, dünner
als ein Kinderstimmchen, aber schriller
als der Pfiff entfernter Eisenbahnen.
«Gärtner, sage du dem Tarandone,
Tarandina habe sterben müssen!»
Dreimal klangen, während sich der Gärtner
angefremdet umsah, ob er träume,
dreimal klangen diese Klageworte.
Dann, von bittren Seufzern unterbrochen,
tiefbekümmert sprach die winzige Stimme:
«Jetzt, so sage du dem Tarandone,
ist nicht Zeit, an fremdem Glück zu fördern.
Zeit ist, eigner Trübsal zu gedenken.
Sage ihm, er müsse heimwärts eilen
zu den sieben unversorgten Waisen.
Nach der toten Mutter, nach dem Vater
weinen sie im Untererdenlande.»

III

Da er mittags in die Stube kehrte,
sprach zur Frau der Gärtner: «Hat der schwüle
Pflanzenduft und Brodem im Gewächshaus
mir den Sinn befangen und verwildert?
Plötzlich wars, als hört ich eine Stimme
(eine lichte Stimme war es, dünner
als ein Kinderstimmchen, aber schriller
als der Pfiff entfernter Eisenbahnen):
,Gärtner, sage du dem Tarandone,

Tarandina habe sterben müssen.'
Dreimal rief –» Er wollte fortberichten
und verstummte jählings. Sie vernahmen
einen spitzen Aufschrei. Hinterm Herde
sprang hervor ein winziges Gesellchen,
spannengroß, altväterlich gekleidet.
Tränen, blank und klein wie Nadelköpfe,
hüpften zitternd über seine Wangen.
Und es sprach mit kummervoller Stimme
(dünner als ein Kinderstimmchen, schriller
als der Pfiff entfernter Eisenbahnen):
«Traurig, traurig bin ich um die Tote,
um die herzgeliebte Tarandina,
traurig um die sieben kleinen Waisen,
traurig aber auch um euch, ihr beiden,
und um eure sieben Gärtnerskinder,
traurig um die gute, treue Hausung,
traurig um die Wärme hinterm Herde,
traurig um die fetten, lieben Bissen,
traurig um die schimmernden Marillen,
die Limonenfrüchte, hold gebildet
wie die Brüstchen meiner Tarandina,
traurig um der Bäume heiligen Schatten
und der Gartenwinde linde Kühlung,
traurig um das gelbe Licht der Sonne,
traurig um des Mondes blasse Scheibe,
um die süßen Vögel in den Zweigen
und die stillen weißen Schmetterlinge.
Lebt denn, ihr Geliebten, wohl! Wir haben
redlich miteinander hausgehalten.

Kann euch nicht mehr hüten, Gärtnersleute,
nicht die sieben lieben, flinken Kinder.
Meine eignen Kinder muß ich hüten
fern im dunklen Untererdenlande,
in der öden, feuerlosen Heimat,
wo kein Morgentau im Lichte glitzert,
Zither nicht noch Mandoline laut wird,
wo kein Mund die Muttergottes anruft,
keine Hand sich hebt zum Kreuzeszeichen.»
Hier erstickten Tränen seine Stimme,
und dann war der Kleine hingeschwunden.

IV

Vor der Schönen Pforte von Cassano
fraßen Raupen alle roten Beeren,
schrumpften Birnen, faulten die Melonen,
fielen taube Nüsse von den Zweigen,
fuhr der Hagel in die Blütenbeete,
schlug der Blitz zu Scherben das Gewächshaus,
stieß des Nachbars Stier die Frau zu Tode,
nahm die Kinder die geschwinde Seuche.
Endlich ging der Gärtner übers Weltmeer,
niemand in Cassano sah ihn wieder.
Wasserlos und wüst und voller Steine
ward der Garten vor der Schönen Pforte,
und sein Ort ist nicht mehr aufzufinden.

DUSCHKAS LIED

Springe, Pferdchen, du mein junger Adler!
Trage mich den Weg nach Sucha Gura.
Hab den Zaum mit Rosmarin durchflochten,
Raute in die Mähne dir gebunden.

Steht am lieben Himmelchen die Sonne,
springe, Pferdchen, du mein junger Adler!
Kennst das Hüttchen, kennst das schlanke Mädchen,
und sie wird dir gelbe Körner schütten.

Schüttle, Birkchen, deine lichten Zweige,
daß die klaren Tränen niederfallen.
Aber weine nicht, mein schlankes Mädchen,
weine, Pferdchen, nicht, mein junger Adler!

Schläft der alte König tief im Hügel,
frißt sein Pferd den bleichen Totenhafer.
Einmal wirds ihn aus dem Hügel tragen
und den goldnen Sonnenhafer fressen.

DIE WÜSTUNG

Abseits, in verlorner Richtung,
schwarz von Kiefern eingehüllt,
stieß ich einst auf eine Lichtung,
öde von Gestrüpp erfüllt.

Nesseln wiegten sich im Winde,
Königskerzen standen schlank.
Eine Natter kroch geschwinde
durch das dorrende Gerank.

Nur ergraute Bauern meinen,
daß der Ort einst Acker trug.
Einmal, heißt es, fand man einen
stumpfen, rostversehrten Pflug.

Einmal Ruß und Ziegelreste
und ein steinernes Gewicht.
Einmal starrte durch die Äste
bleich ein struppiges Gesicht.

Einmal in erschrocknem Fliehen
hats ein Hüterbub gehört:
dünne Kinderstimmen schrieen,
eine Glocke scholl verstört.

Unter Wurzeln schläft die Klage
wie in einem dunklen Schrein.
Einst am jüngsten aller Tage
wird auch er geöffnet sein.

UNDINE

Als ich aufs Wasser sah,
hat mir gegraut.
Stand eine schöne Jungfer da,
schillernd von Haut.

Silbern von Angesicht,
schlank wie ein Pfeil.
Sprach: «Ach, erschrick doch nur nicht,
Lieber, verweil.

Blicke mich an und bleib,
du mein Gefährt.
Hab doch im Mutterleib
feucht dich genährt.

War ich nicht zauberhaft
immer dein Weggeleit?
Ammenmilch, Ölbaumsaft
hielt ich bereit.

Wenn dich ein Absud geheilt,
je eine Frucht dir gedieh,
daß ich dirs zugeteilt,
spürtest du's nie?

Löste dich dunkelhell
jemals ein Wein,
jemals ein Tränenquell,
ich wars allein.

Hat dich ein Schnee gekühlt,
Tau dich erfrischt,
lau dich ein Bad umspült,
ich habs gemischt.

Hab dir durch Fluß und Meer,
Schwimmer, den Weg gebahnt,
rauschte vom Mühlenwehr
– hast du's geahnt?

Was dich am Uferweg
hauchend erquickt,
Sommers am Brückensteg,
ich habs geschickt.

Hab dir aus Schilf und Ried
raunende Botschaft gebracht,
sang dir das Brunnenlied
schläfernd zur Nacht.

Bräutlich und mütterlich
war ich dir tausendfalt.
Greife mich, fasse mich!
Gib mir Gestalt!

Lös dich von Haus und Kleid,
Bändern und Schuhn.
Sollst nun in alle Zeit,
Kind, bei mir ruhn.»

Blitzend wie Flutengold,
zaubrisches Wort!
Kam eine weiße Welle gerollt,
nahm sie mit fort.

ALTE SCHIFFE

Die Schiffe liegen schwarz und abgewrackt
und toten Krähen gleich in dunklen Häfen.
Im frühen Dämmern fallen große Schwärme
von Vögeln schreiend ein.

Sie hocken nieder, und ihr Zanken,
das heisere, verstummt.
Zwei, drei nur streichen über morsche Planken,
in Nebeldunst seefarben eingemummt,   ·
als Schatten der verschollenen Matrosen.

Die Algen wachsen lautlos, Nacht für Nacht,
die Brücken decken sich mit Tang und Moosen,
der Masten Stümpfe mit verjährtem Bart,
und Muscheln klimmen zäh den Rumpf hinan.

Das Logbuch modert im zerfaulten Spind,
wie Scheidewasser fraß das Salz die Fracht
und zehrte Hund und Katzen zu Skeletten.

Nur manchmal zerrt ein krank entschlafner Wind
im Fiebertraum an rostigen Ankerketten,
an Trossen, die kein Auge mehr gewahrt,
an Flaggentüchern aus verwehten Jahren,
an Mützenbändern und an braunen Haaren,
an Bordlaternen, die kein Licht mehr hüten,
an Segelwerk, das längst zu Schaum zerrann.
Und manchmal stöhnt in Kielraum und Kajüten
der sterbende Klabautermann.

STIMME IM HAUSE

Es raunte in der Dämmerung:
Kein Auge sah noch mein Gesicht,
ich bin nicht alt, ich bin nicht jung,
mich weiß die Zeit, ich weiß sie nicht.

Ich weiß nicht, was mich hervermocht,
ob ich ein Kobold oder Ahn,
ich weiß nicht, wann ich angepocht,
ich weiß nicht, wer mir aufgetan.

Die Truhen sind, die Keller voll,
da wird gewimmelt und geschwätzt.
Von allen Dingen heb ich Zoll,
doch stund ich ihn bis allerletzt.

Die letzte Nuß am braunen Strauch,
den letzten Tropfen treib ich ein,
der letzte Kuß und Seufzerhauch,
der letzte Schritt im Haus ist mein.

Und wenn der Gartenbusch verdorrt,
der Herd vermorscht, das Dach zerstiebt,
dann heb ich mich ins Graue fort.
– und weiß doch, daß ich euch geliebt.

DIE UNERKANNTEN

In grünen Schattengängen,
in goldnen Fruchtgehängen,
im weißen Abendhauche,
im grauen Dämmerrauche,

ists nie dir widerfahren,
daß unerkannter Scharen
verhülltes Wehn dich rührte
und aus dir selbst entführte?

Du wandelst unter ihnen.
Sie sind um dich wie Bienen,
wie Gräser an den Wegen,
allimmerdar zugegen.

Sinds Dünste, Spiegelungen,
ein Echo, schon verklungen,
ein armes Schemenschwanken,
geronnene Gedanken?

Sinds Tote oder Wichte?
Sie gieren nach dem Lichte,
nach warmem Menschendasein,
sie wollen nichts als nahsein.

Sie heben nicht die Hände
nach vorbedachter Spende,
nach Opfer und Geschenken,
fürbittendem Gedenken.

Sie finden schon Genüge
am Überschaum der Krüge,
an fortgeworfnen Blumen,
an armen Brosamkrumen.

Der Feuer du und Haus hast,
so vieles Ding voraus hast,
wie willst du, sprich, jemalen
die Schuld an sie bezahlen?

DAS NEBELHAUS

Und da quoll aus dem Nebel ein Haus,
irgendwo, nirgendwo,
schwarz schien es und nieder und krumm,
feucht roch es nach fauligem Stroh.
Und wir pochten die Wirte heraus.

Wir sahen sie nicht,
und sie sprachen halbstumm.
Wir haben ein Rascheln gehört,
irgendwo, nirgendwo,
ein Scharren und Rücken,
hastig und aufgestört.

Sie luden uns zu Feuer und Licht
und gewärmtem Wein.
Wir traten hinein,
irgendwo, nirgendwo,
und wir mußten uns bücken.

Und sie hatten nur Stimme und kein Gesicht,
und die Haut ward uns kalt wie Gestein:
zu Feuer und Licht,
zu gewärmtem Wein
luden sie uns nicht.
Irgendwo, nirgendwo
luden sie uns zu Gericht.

DER GAST

Wovon bin ich erwacht?
War es der Schlag der Uhr?
War es die tiefe Stille nur
der bangen Nacht?

Da hör ich einen fernen Schritt,
der hartgefrorne Boden klirrt.
Und näher kommt es, Tritt auf Tritt,
im Regelmaß und unbeirrt.

Der Weg verkürzt sich, Stück für Stück,
die Öde wirft den Schall zurück.
Ein Hund schlägt an.
Mein Herz erstarrt.
O tödlich schwerer Bann!
Der Schritt verstummt,
die Gartenpforte knarrt.
Der Schritt erhebt sich neu,
setzt wieder aus —

Da birst die Wand, die mir den Blick vermummt!
Die Uhr bleibt stehn, der Atem schweigt,
ich seh durch Mauern und Gebäu:
Es steht vor meinem Haus
ein Fremder, schattenhaft geneigt.

Dann seh ich, wie der späte Gast
die Hand erhebt und ohne Hast
nach meines Hauses Klinke faßt.

DER WANDERER

Der Mondennebel hebt sich weiß.
Du gehst und gehst. Auf weß Geheiß?

Wohin? Am Wege hier und dort
stehn Totenbäume, schwarz verknorrt.

Du wanderst. Und im Fernen wird
ein letzter Wagen angeschirrt.

STUNDE DER DROHUNG

Rauch steigt in Schwaden auf.
Der Regen schlägt ihn heim.
So wogt und quillt er feucht
mit bitter beizendem Geruch
in Küche und Kammer zurück.

Da wächst es schattenhaft empor
riesig mit Geisterpranken.
Konturen lösen sich,
der Herd zerbröckelt.
Die brüchigen Gesichter schwinden hin.
Die Katze von der Ofenbank
hebt sich und faucht,
schwillt ungeheuer an. Ihr runder Buckel
gesträubten Haares trägt im Bogenschwung
das Küchendach, des Hauses Dach,
das Dach der Welt.
Das Licht zerfällt,
und nur die grünen Augen glimmen fort,
zwei Götteraugen, starr, aus blassem Chrysolith
dem schwarzen Marmorbilde eingefügt.

Angstseufzer bitterlich
verweht im Munde.
Schrei auf! Bekreuze dich!
Zerbrich die Stunde!

DIE TOTEN SOLDATEN

Mitternächtig kommt der rote Mond,
und die Wälder wollen sich erhellen.
Knochenvolk, das in den Gräben wohnt,
lugt behutsam über Wurzelschwellen,
blinzelt scheu aus Felsenspalt und Luken,
schnuppert, ob der Tau, der Mond bereit sei,
ob es angebracht und an der Zeit sei,
etwas weniges umherzuspuken.

Wieder Wind und Erdenluft zu schnappen,
tauchen sie aus Bunkern und aus Sappen,
kriechen sie aus überwachsnen Trichtern,
grau, mit ausgemergelten Gesichtern,
lehmverkrustet und mit Backenstoppeln,
halbgeborstne Leiber von den Koppeln
über steifgewordnen Mantelfalten
grade noch zur Not zurechtgehalten.
Knaben in zerschlissnen Feldmonturen,
dürre Greise, schlotternde Lemuren,
ausgekämmt aus Ämtern und Betrieben,
Menschenabhub, der im Sieb geblieben.

Morsches Männervolk hantiert mit Spaten,
Panzerfäusten oder Handgranaten,
andre wieder, finster und gelassen,
treten an, um Munition zu fassen.
Einer reckt sich, nach dem Feind zu sehen,

einer zeigt auf die erfrornen Zehen,
einer stopft sich die zerrissnen Socken.
Amputierte kauern und tarocken.

Lautlos alles. Wo sich Lippen regen,
ists, als ob sie sich im Schlaf bewegen,
hinter Schleiern, hinter Milchglaswänden
oder fern in Mitternachtslegenden.

Schatten sind sie. Schatten müssen schweigen,
Schatten sind dem stummen Tod leibeigen.
Auch kein Schuß, kein Schritt läßt sich vernehmen.
Lautlos alles: Schatten nur und Schemen.

Alle treiben, was sie ehmals trieben,
wie von irrem Stift in Staub geschrieben,
halb schon fortgelöscht von Wind und Regen,
nur im Umriß flüchtig noch zugegen.

Posten, übermüdet, stehn und dösen,
aber niemand kommt, sie abzulösen.
Einer stolpert über Drahtgewirre,
einer schwenkt verbeulte Kochgeschirre,
und der Spieß, ein zäher Sechzehnender,
bastelt grimmig am verbotnen Sender.

Einer liest, wie ungezählte Male,
jenen Brief im dünnen Mondenstrahle.
Andre hocken enge unter langen,
leeren Reden auf Latrinenstangen,

ächzend, aus zerfetzten Eingeweiden
blutige Ruhrfäkalien auszuscheiden.
Einer schleicht sich abseits voll Beklemmung,
einer kämpft mit einer Ladehemmung,
einer schießt, als schöss' er nach der Scheibe,
langsam, grinsend, wie zum Zeitvertreibe,
einer sackt, im Anschlag noch, zusammen.
Schüsse blitzen. Mündungsfeuer flammen.
Einer – plötzlich ist der Mond verglommen.
Alles ist zerstoben und zerschwommen.

Wunderliche blasse Blutgemeinde,
schlaft in Ruhe. Ihr seid nicht mehr Feinde,
uns nicht mehr noch irgendwem auf Erden.
Kehrt nun heimwärts. Friede soll euch werden.

Nein! An euch ist solcher Wunsch verschwendet,
denn ihr seids ja nicht, die hier geendet.
Was da spukt im alten Kampfgefilde,
Nachgebärden sinds und Nachgebilde,
Nachschwall, Nebel, Hauch und Scheingestalten,
angemaßte und auf Borg erhalten.
Schatten nicht einmal! Ihr seid die matten
Spiegelungen längst zergangner Schatten,
nur der Rauchgeruch von längst verlohten
Lebensbränden. Ihr seid nicht die Toten.
Seid nur Dunst und müßt als Dunst verschweben.
Leblos seid ihr. Und die Toten leben,
hell von aller Irdischkeit genesen,
aufgenommen in erhöhtes Wesen.

Fern am Horizonte blitzen Wetter.
Aus den Wolken flimmern Sternenfunken.
Einen Morgenvogel seh ich streichen,
und ein Frühwind rührt die Erlenblätter,
kühl und bitter. Und aus Sumpf und Teichen
heiser kreischt das Brunstgequak der Unken
wie ein Grabgesang und doch dem Leben,
immerwaches Loblied, beigegeben.

DIE AUSGESCHLOSSENEN

Wie früh fällt die braune
Dämmrung des Herbstes ein!
Die Toten stehen am Zaune
und starrn in den Feuerschein.

Sie spüren, daß hinter den Scheiben
die uralte Herdzeit beginnt.
Draußen im Feuchten treiben
Raschelblätter im Wind.

Das Fensterglas ist vergittert,
die Ritze geschlossen mit Kitt.
Und das Frösteln der Toten zittert
in allem Lebenden mit.

ALTE MORDSTELLE

Nur der Wind umzäunt die Stelle,
alles Wachstum wuchert frei,
Federnelke, Küchenschelle,
Wiesenschaum und Akelei.

Hügel nicht noch Fruchtgefilde
grenzen, gliedern das Gebreit,
und vom Himmel stürzt die wilde
Schwermut der Unendlichkeit.

Niemand weiß, wer hier begraben,
niemand weiß, wer ihn erschlug,
niemand, wer als Totengaben
Stein um Stein zusammentrug.

Wars ein Knabe? Wars ein Alter?
Eine bleiche Pilgerin?
Nur zwei knochenweiße Falter
ziehn gelassen drüber hin.

Manchmal um die Mittagsstunde,
wenn die Luft vor Hitze bebt,
scheints, daß eine dunkle Kunde
unerfaßt vorüberschwebt.

Wers auch sei, mit Summestimmen,
jährig, wenn der Sommer flammt,
halten ihm die wilden Immen
treu ein spätes Totenamt.

Jeden schauert es verstohlen,
den sein Gang des Weges führt,
so, als hätten seine Sohlen
jäh das eigne Grab berührt.

Tritt aus der Städte Funkeln
und vom flimmernden See
in den kühlen und dunkeln
Hain der Persephone.

Greif nach den Früchten und Blüten
vom Granatapfelbaum.
Seine Kerne behüten
mehr als Tod nur und Traum.

Wer mit Verstorbnen getrunken
ihren dämmernden Wein,
ist hinübergesunken
in ein künftiges Sein.

Wisse: ihr Wein ist blasser
und geringen Gewichts,
aber geweihter als Wasser
und die Fluten des Lichts.

Bei den Vätern, den Toten,
dem ungezeugten Geschlecht,
tief in den Samenschoten
schläft das heilige Recht.

Tod und Leben: die Schale,
mystischem Trunke bereit,
und du selbst nur die schmale
Scheide zwischen der Zeit.

Erde, Erde unter deinen Schuhn,
Erde, drin die Abgestorbnen ruhn.

Jeder Schritt rührt an die alte Nacht.
Kind der Helle, hast du je bedacht,

daß, was nur dein Mund und Herz genießt,
aus dem schwarzen Totenboden sprießt?

Alle Wurzel senkt sich wie ins Grab
in das stumme Väterland hinab.

Aus der Tiefe wächst der Wasserborn,
Apfel, Nelke, Wein und Weizenkorn.

Und in jedem Bissen, jedem Trank
sage du dem dunklen Reiche Dank.

KEHR UM, GEH HEIM

Der Herd erlosch. Das Elend spricht dich los.
Das Dach zerfiel.
Kehr um, geh heim in deiner Mutter Schoß.

Mensch, du verlorner Sohn der ersten Zeit,
kehr um, geh heim.
Dein Vaterhaus heißt Ungeborenheit.

Du drangst ans Licht, hast dich zu sein erkühnt.
Kehr heim. Wohin?
Wo kühl im Dunkel ewige Hausung grünt.

TESTAMENT

Kein Schauder darf euch fassen,
wenn ihr den Spaten hebt
und, was ich nachgelassen,
der feuchten Erde gebt.

Schon einmal hab ich Zeiten
in dunklem Schoß verbracht,
in feuchten Fruchtbarkeiten
der mütterlichen Nacht.

Grabt ein! Grabt ein! Ich werde
getrost verwesen.
Meine Mutter, die Erde,
wird mein genesen.

AUF EIN GRAB

Der hier begraben liegt, hat nicht viel Geld erworben
und außer dieser hier nie eine Liegenschaft.
Er ist wie jedermann geboren und gestorben,
und niemand rühmte ihn um Tat- und Geisteskraft.

Da er nichts hinterließ, ist er wohl längst vergessen.
Du, Fremder, bleibe stehn und merk auf diese Schrift.
Dann sag mir, ob sein Lob nicht manches übertrifft,
das in der Leute Mund und ihrem Ohr gesessen.

Daß jedes Jahr geblüht, war seine größte Lust!
Da schritt er ohne Hut gemächlich über Land.
Und wenn zur Winterszeit er erstmals heizen mußt,
dann hat er wie den Schlaf den Ofen Freund genannt.

Er teilte brüderlich sein Brot mit Hund und Meise
und wer es sonst begehrt. Hat niemanden verdammt,
hat niemanden gehaßt als nur das Steueramt,
sprach nie vom Börsenkurs und selten über Preise.

Versichert war er nicht und nicht im Sportvereine.
Er ging zu keiner Wahl, er diente keinem Herrn,
sang nicht im Kirchenchor. Zeitungen hielt er keine.
Doch daß ichs nicht vergeß: er hatte Rettich gern.

Er rauchte Caporal. Ist wenig nur gereist.
Dafür hats ihn gefreut, in jungem Gras zu ruhn.
Dann war er noch bemüht, gar niemand wehzutun,
und lobte Gottes Treu und Zuger Kirschengeist.

Du, Wandrer, bitt für ihn. Und bleibe eingedenk,
daß Gott dein Kämmrer ist, dein Truchseß und dein
Schenk.

GRABSCHRIFT FÜR EIN KIND

Ich hatte nur wenig Tage zu leben.
Doch war mir in ihnen alles gegeben.
Ich kam aus dem Dunkel, das Dunkel war mild,
ich hatte Angst, doch die Angst zerrann,
das Licht nahm sich meiner in Güte an.
Mich hungerte sehr, ich wurde gestillt.
Dann ging ich ohne Schmerzen und Leid
zurück in die alte Geborgenheit.
So hab ich des Menschen Teil erfahren
wie andere in achtzig Jahren.

EIN IMMORTELLENBLÄTTCHEN

Die älteren setzte man alle
noch in der Erbgruft bei.
Sie liegt, wie das Christkind im Stalle,
im Winkel der Sakristei.

Sechs taubenweiße Brettchen,
ein goldener Palmzweig dazu,
das ist das letzte Bettchen
der Barbara Oerneclou.

Ein Spruchband sagt, daß sie sieben
Jahre vergehen sah.
Darunter steht geschrieben:
stirpis ultima.

ANTIKES GRAB

Weißer Marmor wob dem Pinienschatten
eine sanfte Helle ein.
«Titiena ihrem süßen Gatten
setzte diesen Stein.»

Blätter, die im linden Herbsthauch fielen,
rinnen abseits gülden durch das Licht.
Und zwei gelbe Schmetterlinge spielen,
sich umkreisend. Und sie enden nicht.

GRABSCHRIFT

Dies Marmormonument umschließt – was fragst du: wen?
Es wird zu seiner Zeit gleich ihm und dir vergehn.
Der löwenfüßige Sarg, nachtschwarz und blankpoliert,
der rote, weiße Stein, mit Goldmetall geziert,
der kühngebauschte Schwung des Geniengewands,
der Trauerengelchen holdseliger Kindertanz,
des grinsenden Skeletts gleichmütiges Gesicht,
dazu auch diese Schrift, – das alles dauert nicht.
Es währt nicht gar so lang. Und doch, bis es zerfällt,
verwandelte sich wohl unkenntlich neu die Welt.
Du meinst, es gelte fort, was tausend Jahre galt.
Die Welt bleibt immer jung, und immer bleibt sie alt.
Und was die Vorzeit uns in Erz und Stein gesetzt,
was Babel himmelan erbaut, wo ist es jetzt?
So lasse hinter dir, was dich umwunden hielt,
und denk, auf Kinderzeit sei alles nur gespielt.
Was ewig dich gedeucht, veraltet wie ein Kleid,
weil nichts vergänglich ist als die Vergänglichkeit.

I

Du Fremder, der auf absichtslosem Gange
zur Dämmerzeit an dieses Grab getreten,
ich bitte dich, den Engelsgruß zu beten,
daß die verirrte Seele heimgelange.

Lies du des Steines Aufschrift nicht. Empfange
nur einen Hauch. Die Worte, sie verwehten
schon längst. Ein Knecht der Erde, der Planeten
schläft unter diesem moosigen Behange.

Was sonst tut not zu wissen? Alles Leben,
so auch das deine, Fremder, gleich dem seinen
ist in die Schuld und in den Tod gegeben.

Wir sind gemacht, im Widerspruch zu schweben,
zu fluten und saturnisch zu versteinen.
Und Eine Hand nur kann das Siegel heben.

II

Ich stamme noch aus ritterlichen Zeiten
und aus dem Lande alter Herrensitten.
Ich wuchs aus Wäldern, die kein Pfad
                              durchschnitten,
und aus verschneiten Unermeßlichkeiten.

Ich habe für den alten Schild gestritten,
die Dauer suchend mitten im Vergleiten,
und wär doch gern, Zigeuner zu begleiten,
auf struppigem Klepper nachts davongeritten.

Ich liebte wildverwachsne Königsgärten
und Felsen, die kein Wimmelvolk erklommen,
und Pferd und Hund und südliche Lacerten

und ach! den Tropfenfall vom Dach im Märzen!
Ich bin vom Heimweh niemals freigekommen
und trug den ewigen Schlangenbiß im Herzen.

III

Von jedem Irrwisch ward ich angefacht.
Ich spielte kindisch noch mit grauen Haaren.
Von vielen habe Liebe ich erfahren,
doch ihrer keinem hab ichs leicht gemacht.

Auch wo ich vorbestimmt zu gehn gedacht:
ich taumelte durch ein Gestrüpp von Jahren
und wußte meine Seele nicht zu wahren
in dieser wüsten und verworrnen Nacht.

Erloschen ist Geflacker und Geschwele,
Gestrüpp zerfallen und die Nacht zerrissen.
Ihr alle, die ich willentlich gekränkt,

und ihr, die ich verletzte ohne Wissen,
gedenkt versöhnt der preisgegebnen Seele:
sie hat euch längst den bittren Zoll geschenkt.

IV

Ein mitternächtiger Frager nach Dämonen
und aller dunklen Seelenkunst beflissen,
ein Herz, dran Himmelreich und Hölle rissen
und auch die Mächte, die im Zwielicht wohnen,

ein Taumelschiff im Meere der Aeonen,
verlassen oft, verloren und verbissen,
dem Frührot rufend aus den Finsternissen,
so hatte ich mein Leben hinzufronen.

Ich mühte mich um Lösen und um Binden,
schied das Vereinte, einte das Getrennte
und sah verzweifelnd Licht um Licht erblinden.

Du göttlicher Adept und Alchymiste,
vereine, scheide du die Elemente
in meiner Brust! Exaudi me, o Christe.

V

Gelöster lebte ich und lebte schwerer.
Ich lachte und verachtete die Lacher,
ein Grübler, Kämpfer, Narr und Lustigmacher,
ein Flüchtling und ein steter Wiederkehrer.

Ein Zwiegeschöpf, Bewahrer und Entbehrer
und nicht willfährig meinem Widersacher,
beim Wein ein ungestümer Nachtdurchwacher,
ein Spötter und ein gläubiger Verehrer.

Ich bin entrückt aus Nacht und Augenblende,
aus lautem Pochen und geheimem Bangen,
verborgnem Sieg und offner Niederlage.

Nun strecke ich die leergewordnen Hände,
des Fürgebets Almosen zu empfangen
als letzten Efeu auf dem Sarkophage.

VI

Der Träume Trauer und des Wachens Leiden
erfuhr ich und die Bürde aller Schritte.
Jenseits des Zwiespalts suchte ich das Dritte,
doch nichts und niemand konnte mich bescheiden.

Das Festgemeinte sah ich sich entkleiden
und kein Erfassen, das mir nicht entglitte.
Erst allzuspät fand ich der Schöpfung Mitte
im Kreuzespunkt, da Stamm und Arm sich schneiden.

Nun lieg ich hier ins Feste eingesenkt
nach Traum und Irrgang, Wank und Widerstreite,
die Hände auf der Brust zum Kreuz verschränkt.

Vergönnt mir ein Gebet als Weggeleite,
daß ich, dem nie sich ein Geleit geschenkt,
die Heimkehr finde in das Ungezweite.

STIMME DES GEFALLENEN

Zwar ich starb vor dem Feind.
Doch was das Auge mir schloß,
war nicht, wie ihr meint,
das glühende Todesgeschoß.

Unter dem Helmrand hervor
sah ich: der Himmel zerbarst
in ein rotgoldenes Tor
hoch zwischen Wolke und Karst.

Als ich die Waffe erhob,
ward ich jählings gewahr,
daß, was mich heulend umstob,
der Ruf der Posaune war.

Und was mir Feuer erschien,
war das Leuchten der Weltenmonstranz,
des göttlichen Blutes Rubin
und der Engel furchtbarer Glanz.

Herrlichste Blendung! Es fiel
über mein Auge das Lid,
da mich das lodernde Ziel
glorienhaft zu sich beschied.

Wer das Geheimnis erfuhr,
was bedarf er der Zeit?
In die Übernatur
war ich erwählt und bereit.

So dem feindlichen Blei
wies ich herrisch den Lauf.
Und mit heiligem Schrei
nahm in die Brust ich es auf.

Jetzt, da der Tag verbleicht,
hebt sich ein Glockenton.
Aber die Botschaft erreicht
einen Verwandelten schon.

DER SIGNALBLÄSER

«Was geblasen ist, wird geritten.»

Soldatensprichwort

Die Backsteinmauer flammt
rotauf im Morgenstrahl.
Kamraden allesamt,
hört mein Signal.

Der Posten vor Gewehr
hat längst den Tag ersehn.
Wirds euch so schwer,
aufzustehn?

«Habt – ihr noch nicht – lang genug – lang genug – geschla –
                                            fen?»
Spring auf vom Bett,
verlierst nicht viel,
hart wie ein Brett
und kein Gespiel.
Und wer von seinem Schatz geträumt,
und wem ein Zorn im Herzen schäumt,
springt alle, alle auf.

Die schwarze Frau Major,
die wirft sich noch im Bett,
bald rechts herum, bald links herum.
Du denkst, Kamrad: wers auch so hätt,
das wär nicht dumm.

Die schwarze Frau Major,
weißrosa, prall und drall,
hübsch rund,
du denkst – da dröhnts im Korridor,
da schreits herein: «Ist alles gesund?»
Mach flink, mach flink, du Lumpenhund,
und scher dich in den Stall.

Vertu die Zeit mit Waschen nicht,
schab rasch die Stoppeln vom Gesicht,
du bist kein Feldmarschall!
Mach flink, mach flink, du Lumpenhund,
und scher dich in den Stall.

Ach, pfeif auf den Zichoriendreck!
Ein Schnaps, ein Brot, ein salziger Speck
und ein paar Züge Rauch.
Sprich deinen Morgenfluch dabei,
ein Fluch macht Kehl und Seele frei
und Brust und Schädel auch.

Der Stubenältste schreit und hetzt,
hat leicht dem Korporal gepetzt,
und dann –
Mach rasch, Klamotten aus dem Spind,
Fußlappen her, geschwind, geschwind,
und Stiefel an.
Noch einen Schnaps, das spült den Mund,
mach flink, mach flink, du Lumpenhund,
und scher dich in den Stall.

Nicht lang, so blas ich andern Ton,
da steht im Hof die Eskadron,
da blitzen Knopf und Tressen,
da blas ich: Aufgesessen!

«Wohlauf, Kameraden, aufs Pferd, aufs Pferd!»

Vorbei an Stall und Schilderhaus,
zum Hof hinaus, zum Tor hinaus,
und immer geht mein Blasen mit,
ich blase Halt, ich blase Schritt.

«Der Rittmeister ist vom Pferd gefallen,
Schritt! Schritt! Schritt!»

Ich blase Schritt, ich blase Trab,
ich blas: Zu zweien rechts brecht ab!
In Zügen linksum kehrt und schwenkt!
Paß auf, sonst wird dirs eingetränkt.

«Schweinehund, will er mal weg, a – ber ge – schwind!»

Büsche, Stoppeln, Sand und Rasen.
Wird geritten, was geblasen.
Hilft kein Beten, Singen, Bitten,
was geblasen, wird geritten,
hilft kein Bitten, Beten, Singen,
laß die alte Ziege springen!

«Schenkel ran, Schenkel ran,
laß sie laufen, was sie kann!»

Schenkel ran, bist noch jung!
Wirf dein Herz voran dem Sprung!
Noch bist du jung, drum wisse du:
Ich blas und geb dir keine Ruh.
Ich jage dich durch Staub und Wind
und stets geschwind und stets geschwind.
Du schindest dich in salzigem Schweiß,
du schnaufst, ich blase gleicherweis.
Ich blase Schluß und blas Appell,
und immer dir ins Trommelfell.
Hilft kein Singen, Bitten, Beten.
Angetreten! Angetreten!
Den ganzen Tag gehörst du mir,
und immer geht mein Ruf mit dir.
Des Mittags, wenn du Kohldampf hast,
ich blase, daß du Suppe faßt.
Und jeder Stund und Dienstbarkeit
geb ich Bescheid,
geb ich Geleit.

Und ist der harte Tag herum
und bist du frei, ich bleib nicht stumm.
Wie bald ist Nacht und Dunkelheit,
es sei dir lieb, es sei dir leid.

«Soldaten müssen nach Hause gehn
und solln nicht länger beim Mädchen stehn,
der Rittmeister hats gesagt.

Zu Bett, zu Bett, wer eine hat,
zu Bett, zu Bett, wer keine hat,
zu Bett, zu Bett, zu Bett!»

Und bist du einstens abgesackt,
versorgt, versargt, ins Grab gepackt
am Gitterhag –
die bleiche Kirchhofsmauer flammt
im roten Morgenstrahl.
Wie blitzt der Tag!
Zum letzten Mal
blas ich Signal.
Auf, auf, ihr Schläfer insgesamt!

«Habt – ihr noch nicht – lang genug – lang genug – geschla –
fen?»

Ich blas die schmetternde Musik:
«Die Herrn Offiziere zur Kritik!»
Hilft kein Bitten, Singen, Beten.
Angetreten! Angetreten!

Nun kennst du mich. Ich blies die Zeit.
Wach auf! Ich blas die Ewigkeit.

AUFERWECKUNG DER TOTEN

Was bleibt vom Eigentum?
Nicht Wald noch Ackerland,
nicht Giebel, First und Wand:
die Gräber sind der Ruhm.

Gruftplatten, grün von Moos
mit Wappen steingehaun:
Ratsherren schlafen und Ritter
hinter geschmiedetem Gitter
im verschneiten Garten.
Geduldig bei Kindern und Fraun
liegen sie da und warten
auf den jüngsten Posaunenstoß.

In Maß und Ehren ward ein jeder beigesetzt,
Vollzahl und Folge hat kein jäh Geschick verletzt.
Sie sind geschwisterlich, in Sohnes-, Enkels-Art,
unabgelöst vom Stamm, Urvätern zugeschart.
Was jeder einzeln trieb zu Heil und Widerheil:
zu Trost und Sühne nimmt das Ganze an ihm teil.

Erschüttert dermaleinst der große Laut die Luft,
dann hebt es sich vereint aus Stein- und Rasengruft,
geblendet taumeln sie im falben Flammenlicht,
erschrocken ohne Maß und doch in Zuversicht.
Sie wissen, einer ist in ihrem Chor vielleicht,
des Stimme fürbittweis des Richters Ohr erreicht.

Die Jahreszeit erlosch im tosenden Orkan,
Schnee stiebt mit Sommerlaub in gleicher Wirbelbahn,
in Wolkengründen klafft rotglühend Tor um Tor,
zerblätternd schießt zutal Fixstern und Meteor.
Vulkanisch brüllend bäumt zur Höhe sich der Sumpf,
Baumstämme splittern ein zu Astgewirr und Stumpf.
Das Ruhende verschlang der jähe Katarakt,
Gemäuer krachen hin, Erdschollen aufgezackt.
Die Platte, die das Grab verschlossen und beschwert,
barst, und ihr Wappenschild allein blieb unversehrt.

Der Ahnherr nimmt ihn auf. Schneebärtig, narbenreich,
im weißen Flatterhaar, der Winteresche gleich,
so steht der hagre Greis zäh an der Klüftung Rand,
als steinern Fürgebet in der gereckten Hand
hoch überm Haupt den Schild. Er ruft getrost und laut:
«Hier bin ich, Herr, und die, die du mir anvertraut!»

Da drängen sie sich zu, sie scharen sich um ihn.
Der Strauchelnde erhebt sich keuchend von den Knien.
Den Blinden führt ein Sohn. Die Kinder flüchten her.
Matronen stützen sich auf Enkelschultern schwer.
Den Halbgelähmten schleift der rüstige Tochtermann.
Der Knabe schmiegt sich scheu dem Vatersbruder an.
Die Kleine, schattenschmal, mit weißem Kranz geschmückt,
springt, den geliebten Ball fest an den Leib gedrückt.
Ein Alter zögert dumpf, von Hastenden umbraust,
ein morsches Sargstück noch vergessen in der Faust.
Da läuft die junge Frau, die Arme wie Geäst
ums blasse Zwillingspaar an ihrer Brust gepreßt.

Da trippelt, kielgekröpft, die Zwergin her und hin,
ihr blöder Kichermund lallt Verse ohne Sinn.
Der Stelzfuß holpert quer. Langbeinig, flatternd rennt
der Reiterkapitän vom Småland-Regiment.
Sekundenlang verhält ein angstgehetzter Schritt,
ein irrer Blick erkennt hier eines Auges Schnitt,
dort eines Kinnes Bau, da ein vertrautes Ding,
an niegesehner Hand den langvererbten Ring.
Beleibte ächzen wild, die Finger mit Gewalt
scharf in den Oberarm des Nebenmanns gekrallt.
Ein blatternarbiges Weib greint, daß der Pfad versperrt.
Vom Raschentschlossnen wird der Zaudrer mitgezerrt.
Noch bebt der Grund. Noch dröhnts von Sturz und Donner-
noch preist der Tuba Ton den schreckensvollen Tag,   [schlag,
und immer legt der Ruf noch Gruft um Grüfte bloß
wie der Trompetenschall die Bauten Jerichos.
Noch schreit der Vögel Angst den späten Sühneschwur,
die letzte Litanei der letzten Kreatur.
Noch heult der Sturm, noch schrillt Furchtseufzer und Ge-
noch zittert hingeweht das kaum erweckte Fleisch.   [kreisch,
Und dennoch, zaghaft rührt sich ein Vertraun bereits,
denn jeder hat Geleit, und keiner ist abseits.

Wir, ohne Folgezeit, verbrannt von Gegenwart,
wir, die wir flüchtig gehn, wir, hier und dort verscharrt,
im Feld, im Forst, im Schutt, in Trümmern fremder Stadt,
im grauen Anstaltshof, der keine Kreuze hat,
zu Asche hingestäubt und von Gestalt entblößt,
Verstoßne und versprengt, atomisch aufgelöst,
Unaufgefundne wir in Eis und Felsenspalt,

in Dorngesträuch und Schilf, in Meer und Hinterhalt.
wir äußerste Geburt, unzeitiges Geschlecht,
unkenntlich für uns selbst, – wie finden wir zurecht?
Wir hören wohl den Schall. Wir taumeln aufgeschreckt
vom Grab, das Zeichen nicht, nur nackte Ziffer deckt.
Wir klimmen mühevoll aus Moor und Moderkolk,
wir antlitzlose Schar, wir ungewiesnes Volk.
Wir irren schemenhaft und von Entsetzen blind,
wir, abgedorrt vom Ast und keines Kindes Kind.
Wir tappen durch Geröll. Wer sammelt uns zuhauf?
Wir stürzen über Wust. Wer hilft und stützt uns auf?
Wie Flugsand stieben wir, vom Sturme hochgestört.
Ist niemand, der uns ruft? Ist niemand, der uns hört?
Ist niemand da, der uns die letzte Richte weist,
des Fürgebet auch uns Barmherzigkeit verheißt?

So soll Erz-Ahnherr sein, der vor uns auferstand,
die Fahne mit dem Kreuz als Zeichen in der Hand!
Der uns zu richten kommt, wird unser Fürsprech sein.
Du, Richter, selbst befiehl uns der Erbarmung ein.
Seit du im Grabe lagst, ist aller Grund geweiht.
Brandschutt und Asche hat des Gruftsteins Würdigkeit.
Du aber, Seele, sei so königlich gesinnt,
daß du dich selbst erkennst für eines Königs Kind.
Wirf ab, was dich umschließt. Zertrümmre, was dich hält.
Was stürzen kann, ist nichts. Und nur das Tote fällt.
Das Monument zerbrich. Den Efeu reute aus.
Sag allen Grüften ab. Verschmähe Schild und Haus.
Reiß dich mit Freuden los. Dir, Seele, ziemt allein,
im grenzenlosen Schoß der Gottheit frei zu sein.

IN UNVERGÄNGLICH WESEN

O Mensch, zu Spreu erlesen,
zu Staub und dürrem Kraut,
in unvergänglich Wesen
hast du dein Haus gebaut.

Das Große wie das Kleine,
dein Flügelschwung und Leid,
es liegt im Glorienscheine
der Unermeßlichkeit.

Spür tief in den Geweben
die heilige Ursubstanz,
und das zerstückte Leben
ist allerwegen ganz.

DIE HEILE WELT

Wisse, wenn in Schmerzensstunden
dir das Blut vom Herzen spritzt:
Niemand kann die Welt verwunden,
nur die Schale wird geritzt.

Tief im innersten der Ringe
ruht ihr Kern getrost und heil.
Und mit jedem Schöpfungsdinge
hast du immer an ihm teil.

Ewig eine strenge Güte
wirket unverbrüchlich fort.
Ewig wechselt Frucht und Blüte,
Vogelzug nach Süd und Nord.

Felsen wachsen, Ströme gleiten,
und der Tau fällt unverletzt.
Und dir ist von Ewigkeiten
Rast und Wanderbahn gesetzt.

Neue Wolken glühn im Fernen,
neue Gipfel stehn gehäuft,
Bis von nie erblickten Sternen
dir die süße Labung träuft.

DIE AUGEN

Hebt euch, Augen! Von beschwerten Lidern
blies ein Traumwind spielerisch die Last.
Eurem Scheine will die Welt erwidern,
und das Feuer ist in euch zu Gast.

Euer sind die weißen Zeiten,
euer das entflammte Jahr,
Blütenwiesen, Meeresweiten
und der Weiden grünes Haar,
euer die getretnen Fliesen,
schieferfarben, taubengrau,
die gezackten Felsenriesen,
der gestirnte Himmelsbau.

Ihr, der Strahlen bildende Empfänger,
Träger und Bewahrer ihr des Lichts,
nie ersättlich, ungestüme Dränger,
nie ermüdet, Sucher noch im Nichts,

euer sind die schönen Leiber,
Lipizzaner, Stier und Schwan,
braune Kinder, weiße Weiber,
Schlange, Panther, Kormoran,
euer Gischt und Aureole,
euer Silber und Brokat,
Aquädukte, Kapitole,
Götterbild und Moosachat.

Dem durch euch aus tauber Nacht erlösten,
jedem Dinge singt ihr Lob um Lob.
Aus dem Kleinsten fügt sich, aus dem Größten
euch das brausende Kaleidoskop.

Nicht Erscheinung nur und Bilder,
Sein, das in sich selber ruht –
losgebundener und wilder:
Sprung, Begebenheit und Flut!
Reiterschlacht im Sturmgelände,
Hochzeitstänze, Leichenzug,
Räderdrehen, Spiele, Brände,
Dämmerung und Schwalbenflug.

Und vor allen den geschliffenen Flächen
drängt es Sterne, Blitz und Sonnenball,
ihr erlauchtes Licht in euch zu brechen
als im alleredelsten Kristall.

Höchstes Amt ist euch gegeben:
wo es brodelt, gärt und wallt,
habt ihr aus dem Nichts zu heben
Maß, Konturen und Gestalt.
Träume dürft ihr bunt vollbringen,
wenn das Dunkel euch umgibt.
So vor allen Schöpfungsdingen
seid ihr selig, seid geliebt.

Segler seid ihr, kühne Argonauten,
ewig fahrend nach dem goldnen Vlies,
nach dem strengen Glanz des Niegeschauten,
den das hier Erblickte euch verhieß.

Einmal werdet ihr geschlossen,
dann erst überwältigt sein,
glorienweise überflossen
vom geheimnisvollsten Schein.
Denn was nie ein Ohr vernommen
und was nie ein Aug erregt
und in keines Sinn gekommen,
ist den Seelen hinterlegt.

MELODIE DER WELT

O horch! Auf den Wiesen geht um
das selige Sommergesumm.

Das Reisig knackt unterm Schritt,
und das Rascheln des Herbstlaubs geht mit.

Der Märzenwind murrt durch die Nacht,
das Eis auf den Teichen erkracht.

Vor dem Hause der Brunnen ermißt,
wie weit's an der Ewigkeit ist.

Wenn der Regen vom Blattwinkel tropft,
der Schwarzspecht die Buchen beklopft,

wenn der Apfel, von Süße geschwellt,
so sanft auf den Grasboden fällt,

wenn vom Kirchturm der Trauerhall zieht
und vom Jahrmarkt das Drehorgellied

und das dumpfe Gequake vom Moor –
laß rinnen die Laute ins Ohr!

Wie geliebt klingt die Welt und wie gut!
Im Herde das Prasseln der Glut,

das Säuseln im reifenden Korn,
das Rauschen vom Felsenborn,

der pochende, federnde Huf,
Hundskläffen und Hörnerruf!

Das uralte Brausen der See
und das Knirschen der Schritte im Schnee.

Die Flöte, die Hirtenschalmei
und das brünstige Eselsgeschrei,

aller Ton, der den Saiten entschwirrt,
und Gläser, an Gläser geklirrt,

das geflüsterte Willkommswort –
o lausche du, lausche nur fort!

Der Flößer fernen Gesang
die dämmernden Ufer entlang

und des Kindes, das Waldbeeren pflückt –
o vernimm ihn, vernimm ihn beglückt!

Und das Zirpen von Halm und Blatt –
o lausche und werde nicht satt!

Doch die Stunde kommt, da dir graut.
Schal und taub wird dir jeglicher Laut.

Hat alles dein Herz nicht gestillt?
So erhebe dich, kühnlich gewillt.

Brich auf. Vernimm es noch heut,
das silberne Sternengeläut.

LOBSANG UND LOBRAUCH

I

Ewiger Schweiger, Gott, und ewiger Hörer!
Preislied lobt Dich und Flehn der Betenden und der Be-
schwörer –
Aber reicher lobt Dich jeglicher Ton Deiner Erde,
lobt Dich das brünstige Wiehern beschälender Pferde,
lobt Dich das Wispern im Schilf, das Rauschen der Küsten-
föhren,
lobt Dich der Kraniche Ruf und der Hirsche herrliches
Röhren,
rieselnder Sand und raschelnder Igel im Laube,
wachsames Hähergeschrei und das zärtliche Gurren der Taube,
polternder Steinschlag und schnaubender Frühwind im Osten
und das Donnern des Eisgangs an Brückenpfeilern und
Pfosten,
lobt Dich der goldenen Bienen Süße verheißendes Summen
und das brütende, schwüle, mittägliche Weltverstummen,
sanfter Aufprall der Früchte, die herbstlich zu Boden klopfen,
und des Brunnenwassers, des Blutes gemessenes Tropfen,
knirschender Kies und das schläfernde Plätschern der Quellen,
Brandung am Ufergestein und der Sturmflut Brüllen und
Bellen,
lobt Dich der fernen Gewitter langsam verhallendes Grollen
und im März der Lawinen dumpf donnerndes Niederrollen,
lobt im Orkan Dich das krachende Reißen der Segel,

loben Dich tief in Gruben und Schächten die pochenden
Schlegel,
Sterbegesänge des Schwans und Morgenrufe der Hähne,
lobt Dich das Jauchzen der Kinder, der heisere Schrei der
Hyäne,
Hämmern des Totenwurms in Gebälk und Gehäuse,
lobt Dich das Knacken im Holz und das heimliche Nagen
der Mäuse,
Zischen der Schlange, metallisches Zirpen der Grille
und im Münstergestühl des Nachts die vollkommene Stille,
lobt Dich das Seufzen und Säuseln der Äolsharfen im Garten
und das Flüstern der Luft in Blättern, Drähten, Standarten,
lobt Dich zur Heuzeit das schmetternde Sensengedengel,
lobt Dich das Flügelrauschen der Adler, der Greifen, der
Engel,
lobt Dich der Schlittenschellen, der Kuhglocken fernes Ge-
läute,
Hufschlag und Pferdegeschnauf und das Kläffen der jagenden Meute,
lobt Dich der Kugeln und Waffen pfeifendes Lüftedurch-
schneiden,
lobt Dich das leichte Geklirr von Ringen und Halsgeschmei-
den,
lobt Dich das leise Geblätter in Psaltern und Stundenbüchern
und in der Brise das Knattern von abschiedwinkenden Tüchern,
lobt Dich das Bersten der grünen, von Reife geschwellten
Schoten,
loben Dich rollende Räder und Pfiffe aus rauchigen Schloten,

lobt Dich das Klappern und Brausen in Mühlen, Motoren,
Turbinen
und in den Tagen der Ernte das Summen der Dreschmaschinen,
lobt Dich Lästrung und Fluch und der Leidenschaft bebendes
Werben,
Aufschrei und Todesgestöhn und das klirrende Splittern der
Scherben,
Knistern der Lohe und krachender Einsturz der Mauern
und das trunkne Geschrei der kirchweihtanzenden Bauern,
loben Dich knarrende Kräne und Winden, Fanfaren und
Notsignale,
Messerschleifen, Sirenengeheul, Kantaten und Madrigale,
loben Dich Klagegesänge, entrückten Herrschern zu Ehren,
und auf der Treppe die Schritte, die niemals mehr wieder-
kehren,
loben Dich Peitschengeknall und Schüsse und Donner von
Explosionen
und das dumpfe Gestampf von verlorenen Marschbataillonen,
Schmerzensgewimmer und dünnes Kreischen der Knochen-
säge
und auf dem Deckel des Sarges die letzten Hammerschläge,
lobt Dich das Knochenrasseln von spukenden Hungerskeletten
und das Gerüttel der Höllendämonen an ihren Ketten.
Alle Geräusche und Klänge der Welt, woher sie auch stammen,
strömen vieltausendstimmig in Eines zusammen,
steigen vereint mit Gebeten und preisenden Liedern nach
oben,
Lobsang, wie Lobrauch, den Herrn der Schöpfung zu loben.

Tausend Hände von Priestern und dienenden Knaben schwin-
gen
eherne Fässer, draus Wolken des Weihrauchs dringen,
süß zu atmendes Harz, aus des Orients edlem Geäst
willig geronnen und sorglich zu blassen Körnern gepreßt.
Aber reicher noch lobt Dich, Du Herr der Gewölke und
Schwaden,
alles, was aufwärts steigt, zu reineren Lüften geladen,
heißer, zorniger Dampf aus den Nüstern brüllender Stiere
und das Wogen der Blütenstäubchen im Honigreviere,
frühsommernächtiger Hauch von den süßen Akazienbäumen
und des Jasmins, des Holunders betäubendes Überschäumen,
weißer, wallender Nebel, aufsteigend von Hochmoor und
See,
lobt Dich im Nordwindgestöber der stäubende Pulverschnee,
Dampf der Retorten und gelbes Gezisch aus Ventilen,
kindlicher Lämmerwölkchen rosig beglänztes Spielen,
schwarzblauer Himmelsbehang, Bedrohung künftiger Stunden,
und das verdunstende Salz über den Meeren und Sunden,
Herdrauch aus Dächern, am windstillen Mondhimmel ste-
hend,
zögerndes Herbstgespinst, an der späten Sonne zergehend,
lobt Dich der riesigen Städte verworfener Brodem
und der Gemsen, der Kinder, der Feldmäuse reinlicher Odem,
bläulich verglimmender Kräuter narkotischer Schleier
und der Weindunst bacchantisch brausender Feier,

lobt Dich der fette Qualm aus Schüssel, Tiegel und Pfanne
und im Dezember der Dampf galoppierender Schlittenge-
spanne,
Mehlstaub, Goldstaub, Gewürzstaub und Staub von Fo-
lianten,
Feldwegstaub und Staub vom Schleifen der Diamanten,
Mörtelstaub von uralten, bröckelnden Türmen und Treppen
und der beizende Rauch von brennenden Wäldern und Step-
pen,
schwärzlich flatternder Dampf des scheunenverzehrenden
Feuers
und der aufwirbelnde Staub vom Einsturz zerschossnen Ge-
mäuers,
lobt Dich der flammig emporgeschleuderte Qualm von Vul-
kanen
und der Rauch von den Schiffen, den Essen und Eisenbahnen,
lobt Dich im Sumpf, dem giftigen Fieber verschworen,
brodelnde Gärung, miasmischer Gase Rumoren,
Dunst der fauligen Flut in stummen Kanälen und Grachten,
einsamer Kerzen Ruß und das Pulvergewölk der Schlachten,
Dampf vergossenen Blutes und zuckender Eingeweide
und der Verwesungshauch der von Toten bevölkerten Heide.
Ja, es lobt Dich der bittere Rauch von den höllischen Flam-
Und vieltausendfältig rinnt alles in Eines zusammen,   [men.
steigt, mit dem Weihrauch der Kirchen vereint, nach oben,
Lobrauch, wie Lobsang, den Herrn der Schöpfung zu loben.

ANRUFUNG

Du Herr des Alten und des Neuen,
Du ewiges Lamm und ewiger Hirt,
erhalte uns in Deinen Treuen,
in Deinen Zeichen unverwirrt.

Wir gehn durch düstre Felsenengen,
wir tasten blind im Nebelmeer.
Dämonen mit gereckten Fängen
sind alle Stunde um uns her.

Wir sind des Löseworts nicht mächtig,
wir harren bang der Hahnenkraht.
Dein Mund ist allen Morgens trächtig.
Zerbrich die Nacht! Gib frei den Pfad!

Wir sind in Asche eingegründet,
in starre Krusten eingeschient.
Du bist die Glut, die Eisen zündet
und noch dem Stein zur Schmelze dient.

Wir sind verdammt, den Fels zu roden,
wir säen Wind, wir pflügen Sand.
Verkläre Du Gerät und Boden
mit einem Heben Deiner Hand.

Da unser Feigenbaum verdorrte
und sich der Weinstock fahl entlaubt,
o tränk die wasserlosen Orte
mit Schweiß von Deinem Dornenhaupt!

Du, vorgedeutet in den Zeiten,
da Hirte noch und König eins,
tritt aus gekrönten Helligkeiten
zum falben Volk des Dämmerscheins.

Tritt aus dem starrenden Brokate
der Gnadenbilder von Byzanz,
tritt aus der schneeigen Oblate,
tritt aus der güldenen Monstranz!

Tritt, der Beladenen Erfrischer,
an unsern Webstuhl, unsern Tisch,
Du, der geheimnisvolle Fischer
und der geheimnisvolle Fisch.

Erhelle Du den Trunk im Kruge,
im nächtigen Stall den armen Wurf,
die erdengraue Hand am Pfluge,
der Grubenwände rauhen Schurf.

Und im Gedröhne der Motoren,
in Dampfgezisch und gelbem Rauch
o sende den ertaubten Ohren
geheim vernehmlich Deinen Hauch.

Im letzten Schwung des Glockenseiles,
im Anprall, der den Damm zerbricht,
und noch im Niederblitz des Beiles
erscheine uns Dein weißes Licht!

So halte uns zu allen Stunden
Dir angetraut und untertan
und nähre uns aus Deinen Wunden,
verborgner Vogel Pelikan.

Laß alle Trauer Deinem Trösten
aufs neue einbefohlen sein.
Erzhirte, hülle die Entblößten
in Deinen Hirtenmantel ein.

CHRISTUS
IN DER SCHÖPFUNG

Um Verborgnes zu bedeuten,
sprach der Herr – entsinnt ihr euch? –
gern von Hirten, Ackersleuten,
Feigenbaum und Dorngesträuch,

von der Henne Flügelheben,
Stein und Schlange und Skorpion –
Ich der Weinstock, ihr die Reben,
und ich bin des Winzers Sohn.

Dem Gebornen quoll entgegen
warmer Tiergeruch im Stall,
und es stand an seinen Wegen
Lamm und Fisch allüberall.

Fische strömten in die Netze,
und das Senfkorn wurde groß.
In den Äckern lagen Schätze,
Perlen still im Muschelschoß.

Vor das Volk der Synagogen
hat er offne Flur gestellt,
Vögel unterm Himmelsbogen,
Lilien im Blütenfeld.

Eselsfüllen, Geistestaube,
Salz und Distel fehlte nicht.
Und mit feuchtem Erdenstaube
gab er Blinden das Gesicht.

Brunnen, Seen, Flüssen, Teichen
war er innig im Verein
und erhob zum höchsten Zeichen
unser Brot und unsern Wein.

Nichts, das aus der Erde Mitten
nicht sein rechtes Bild empfing!
Und von rechtem Holz geschnitten,
war das Kreuz, daran er hing.

Am verlassnen Sarkophage
vor Marie von Magdala
früh am ersten Ostertage
stand er als ein Gärtner da.

Und zuletzt, den Erdengleisen
fast entrückter Pilgersmann,
sich den Jüngern zu erweisen,
nahm er Fisch und Honig an.

Selig, selig, die da glauben,
selig, denn sie werden sehn.
Einst wird sich das Kreuz belauben
und die Schöpfung auferstehn.

DER HUND IN DER KIRCHE

Wie gedacht ich jenes Tags der Worte,
die das Weib aus Kanaan gesprochen:
«Fressen doch die Hündlein von den Brocken,
die von ihrer Herren Tische fallen!»

In der dörflich bunten, halbgefüllten,
in der sommerlich geschmückten Kirche
betete der Priester am Altare:
«Dieses reine, unbefleckte Opfer,
milder Vater, wollest du gesegnen!»

Durch die Stille, die der Bitte folgte,
klang ein dünnes, trippelndes Bewegen
von der Tür, im Rücken der Gemeinde,
zaghaft erst, verlegen, dann geschwinder.
Viele Augen wandten sich zur Seite.
Manche Fromme runzelte die Stirne,
gern bereit, ein Ärgernis zu nehmen.

Auf den schwarz und weiß geschachten Fliesen
kam ein kleiner Hund auf kurzen Beinen
flink den Mittelgang entlanggelaufen,
ohne Abkunft, bäuerlicher Artung,
mißgefärbt und haarig wie ein Wollknäul,
aber drollig, jung und voller Neugier.

Tief am Boden lag die schwarze Nase,
witternd, schnuppernd suchte er die Richtung.

Er verhielt, er hob die rechte Pfote
eingewinkelt an, er hob die Ohren
und mit freudigem Kläffen schoß er schräge
ganz nach vorne zu den linken Bänken,
wo gedrängt die kleinen Mädchen knieten.

Ihrer eine, sonntäglich gekleidet,
siebenjährig, schlank und schmalgesichtig,
ward von jäher Röte überflutet,
und behend den dunkelbraunen Scheitel
neigte tief sie über ihr Gebetbuch.

Doch nun stießen sie die Nachbarinnen
kichernd an, voll Eifer und nicht ohne
eine kleine heilige Schadenfreude.

Selig, daß die Herrin er gefunden,
mit dem Stummelschwänzchen munter wedelnd,
suchte durchs Gewirr der Kinderfüße
sich der Hund zu ihr hindurchzuzwängen.

Kein Verleugnen half mehr, und die Kleine,
zitternd fast und nicht mehr fern den Tränen,
schnellte auf und schob sich widerwillig
durch die Reihe, schon den Hund im Arme,
knickste in des Hochaltares Richtung
und begann geschwind zur Tür zu flüchten
auf den schwarz und weiß geschachten Fliesen.
Und ein Sonnenstrahl fiel durch das bunte
Fenster und beglänzte ihre Haare
und das rote, glühende Gesichtchen.

Doch noch war der Ausgang nicht gewonnen,
als das Glöckchen hell zur Wandlung schellte.
Alle knieten. Und das Kind hielt inne,
wandte sich und mit gesenktem Scheitel
ging es hurtig in die Kniee nieder.
Sorglich mit der Linken hielt die Kleine
eng den Hund gepreßt an ihre Brüstchen
und bekreuzte gläubig mit der Rechten
sich und ihn.
      Da lächelte am Pfeiler
fromm der Löwe Hieronymi.

Das Getier der heiligen Geschichten,
dieses schneller, jenes erst mit Zögern,
schwer verstehend, wie es manches Art ist,
tats ihm nach auf Bildern und Altären
überall. Es hoben an zu lächeln
Ochs und Esel und der Fisch des Jonas,
Lucä Stier und des Johannes Adler,
Hund und Hirsch des heiligen Hubertus,
Martins Pferd und des Georgius Streithengst,
Lamm und Taube, endlich die gekrümmte
Schlange unterm Fuß der Gottesmutter.

Aus der Orgel aber stieg verstohlen
silberhell ein winziges Gelächter,
tropfte, perlte, wenigen vernehmlich.
Doch dann schwoll sie auf und rief mit Jauchzen:
«Lobt Ihn, alle Kreatur!»

GOTTHIRTE, HIRTENGOTT

O ihr frühen Tage,
ihr schmerzlich entfremdeten,
da der verborgnen Begräbnisstätten
stille Wände in heiterer Helligkeit
farbige Bilder getragen
und der Marmor von süßestem Zierat schwoll!
Blühendes Rankenwerk,
von Eroten umspielt,
traubenlesenden, zärtlichen Genien,
und umflattert von honigverheißenden Bienen.
Jene Kleinen, sie bringen
glücklich-geschäftig
die vier herrlichsten Ernten des Jahrs,
Rosen, Ähren, den Wein und die Ölbaumfrucht,
freundlich so deutend
auf die Vollendung der Tage
und das Wort des erhöhten Herrn:
«Die Zeit ist erfüllt, und das Reich
Gottes ist nahegekommen.
Wendet den Sinn und vertraut
der Botschaft der Freude!»

Der Persephone dunkler Hain,
dämmernde Hadeswiesen,
Schwarzpappeln, Weiden
und stillschattender Weihrauchbaum,
Lorbeergewächs und Granat,

an den Wurzeln und Schäften
von Asphodelos umkränzt,
all dies lichtlose, lautlose
unterirdisch Hingebreitete
hat sich mit lindem Glanz
Goldes und Silbers und rosigen Blütengewölks
zum paradiesischen Garten verklärt.
Himmlische Seelenvögel,
die häusliche, fromme Schwalbe,
voll schimmernder Sanftmut die Taube,
hundertäugig gefiedert
und mit goldener Krone der Pfau,
flattern geruhsam um grasendes Lämmervolk.
Nike, geflügelt,
reicht den Palmzweig den Überwindern,
die, olympischen Siegern gleich,
in der Rennbahn bestanden den Lauf.

Gatte und Gattin, die hingerufenen,
wie sie zur Erdenzeit
beim Symposion des Herrn
fröhlich-gläubige Gäste gewesen,
also liegen sie jetzt bekränzt
beim messianischen Mahl,
dem Symposion der Seligen.
Und ein Engel,
langgeflügelt und schönbeglänzt,
dienend trägt er den Wein, das Brot
und den weisenden Fisch herzu.

Unweit davon, die Kinder,
Brüderchen, Schwesterchen,
frühverstorbene, haschen
lächelnd nach Schmetterlingen,
und als Eros und Psyche
pflücken sie Blüten auf himmlischer Flur.

Beter und Beterinnen
breiten die Arme aus,
aufgehoben zum himmlischen Licht,
daß die bauschigen Ärmel
breithin niederfallend
des Gewandes
festlich fließende Falten begleiten.

Gütige Gräberwelt,
innig, heiter und sanft!
Nicht den Tod zeigst du an,
nur des Todes
mächtige, ob auch stille,
mächtige, triumphale Bezwingung.
So auch das Leiden des Herrn
bildest du nicht,
unkennend das Kreuz.
Und der helmtragende Krieger,
der ihn mit Dornen krönt,
hält ihm den gemmengeschmückten,
siegbekräftenden Lorbeerkranz
über das jugendlich lockige Haupt.

Du schöner Erlöser der frühen Geschlechter,
unbärtiger Jüngling mit dem Lamm,
höhlengeborener, göttlicher Hirt,
den mit Gesängen die Hirten begrüßt,
der dem jungen Dionysos glich
und dem Antinous
ein vergöttlichter Bruder schien,
der zärtlichen Glieder Schwellung
halb nur verhüllend
unter dem hirtlichen Kleid.
Zwischen Schafen und Bäumen
schreitest du hin. Dich zieren
Hirtentasche und Hirtenschuh.
Auf der Schulter trägst du
das gerettete, wiedergefundne
Lamm, die Hände
sorglich ihm um die Füße gepreßt.
Lächelnd blickst du es an.

Oder als Orpheus
stehst du, die Hirtenflöte,
die Syrinx blasend
unter den Zweigen,
an begrünten, arkadischen Fels gelehnt,
und dein Antlitz,
schwärmerisch, doch gewiß,
ist der Tiere gezähmter,
willig beglückter Heraufkunft
in gelassner Erwartung froh.
Auch die Lyra, sie ist,

Blühender du, deinen Händen
anvertraut, und die Schöpfung
reift, in Sanftmut bezwungen,
ihren liebenden Klängen zu.

Auf den sprossenden Triften
haftet dein Blick. Die Welt,
die eine kleine Weile dem Argen verfiel,
trägst du, ein Lamm,
in erneuerter Unschuld
heim in den Schoß
ihrer ersten Vollkommenheit,
nicht zum Richter bestellt,
des Zürnens unkund,
nicht das Geschwächte verwerfend
und das Dunkle
liebreich verklärend in göttliches Morgenlicht.

Ach, was wandelte dich,
froher Erbarmer,
in den erbarmenswürdigen,
in den gefesselten Schmerzensmann,
überronnen von Geißelschlägen
und von verkrusteten Bächen
des roten, des schwarzen Bluts?

Ach, da die Welt
strenger ward und erkennender,
messen an solcher Wandlung

wir die Weite des Wegs,
des steiler gewordnen und steiniger?

Ist unsern Augen
die Unschuld genommen?
Fiel ihre freundliche Binde?
Oder hat uns
des Blutes, der Tränen,
des unfreudigen Schweißes
unendlich gesponnener Schleier
so die Blicke verstellt?

Rühre die Augen uns an,
Gotthirte, Hirtengott,
daß wir unter den grauenvollen,
schwärenden Wunden des blassen,
des zerrissenen Leibes –

daß wir unter den flammenden Zügen
des, der auf Wolken
beim Ton der Posaunen am schrecklichen Tage
zu richten kommt
die Lebendigen und die Toten –

daß wir hindurchschimmernd
wieder gewahren, Getröstete,
deine hirtliche Sanftmut und Schöne.

DIE VORFORMUNGEN

O erste Weisheit, aus dir selbst erflossen,
wo ist die Zunge, die dich wert besinge!
Du gabst das Zielgesetz, das nie getrogen,
verborgnes Wissen der erschaffnen Dinge.
Eh noch die Flut das Feste ausgespieen,
eh noch ein Blütenstaub im Wind geflogen,
da waren Schuld und Adel schon Genossen
und auf das Letzte alles hinbeschlossen.
Noch war das Gold zur Reife nicht gediehen,
noch nicht die Säure zum Kristall geschossen,
das Silber gärte noch in trüben Wogen,
da war ihm schon Erbötigkeit verliehen.
Da regte sich die Ründung schon zum Ringe,
im Felsen schlief der rote Porphyrbogen
und in Metallen künftige Melodieen.
Schon trieb im Erz der Lorbeer seine Sprossen,
der Marmoradler rüstete die Schwinge,
schon spannte der Granit sich zu Kolossen,
zu Säulen und zu steinernen Eklogen,
und im Geheimen war der Kelch gegossen,
gehämmert Königsbilder und Marieen
und Engel, hingeschmiegt zu ihren Knieen.
Den Stahl verlangte es nach Sporn und Rossen,
zum Scepter drängte sich die blanke Zwinge,
die Fibel war zu halbem Rund gebogen.
Der edle Griff erwartete die Klinge
von Eisen, das schon stumm nach Blut geschrieen.
Und auch zum Kreuze nach den Prophetieen

die Nägel waren schon zurechtgebogen
und vorgemünzt die dreißig Silberlinge –

O erste Weisheit, aus dir selbst erflossen,
verborgnes Wissen der erschaffnen Dinge!
Der Adel blieb. Die Schuld war vorverziehen.

NICHTS GIB MIR, GOTT

Gib unser keinem, Gott, um was wir flehen,
Verworrne, die getrübtes Licht beriet!
Nein, einen jeden lasse nur geschehen,
wie in der Schöpfung alles Ding geschieht,
der Flug, der Fall, das Blühen und Verwehen,
der Berge Glühn, das Wachsen im Granit,
der Lachse Sprung, des Efeus Überstehen,
des Mondes Spiegelung im blassen Teich.
Nichts gib mir, Gott. Nein, laß mich nur geschehen,
dem Stein, dem Laube, den Gestirnen gleich,
und gönne mir, mit ihnen einzugehen
und mit den Kindern in dein Himmelreich.

UNERSÄTTLICH

Ach, wen sättigt Wasser, Brot und Wein,
wen das Feuer und die Schlummerstatt,
ach, wer könnte satt des Atems sein,
wer des Honigs und des Salzes satt?

Wessen Ohren wurden je vom Klang,
wessen Augen je von Licht und Bild,
wessen Füße je von Sprung und Gang,
wessen Hand von Druck und Griff gestillt?

Ach, wem wußte warmer Herzensschlag,
wem Umarmung je genug zu tun,
Flut und Ebbe wem? Und wer vermag
ohne Wünsche, schwebend auszuruhn?

Mensch, dem alle Schöpfung sich gewährt,
Mensch, der du ein Sohn des Hungers bist,
ach, du wirst getränkt und wirst genährt
immer nur für eine schmale Frist.

Immer wieder stehst du ungeletzt,
unersättlich wie im Anbeginn,
umgetrieben, immer neu gehetzt!
Jede Fülle schwindet vor dir hin.

Aber der die Ungenügsamkeit
dir und allem Leben eingesenkt –
sei gewiß: er hält den Quell bereit,
der mit ewiger Genüge tränkt.

Im schwarzen Bergwald, wo der Weg sich zweigt,
zum Gießbach hier und dort zu Almen leitet,
indes das eingerissne Tal zur Schlucht
sich düster schmälert, hängt mit spitzem Dach,
an einen Stamm in Anderthalbmannshöhe
genagelt, morsch ein leeres Holzgehäus
wie ein verlassnes und verdorrtes Nest.
Längst schwand das Bild. Kein Schriftzug dauert mehr.

Wohl mag sich der Vorübergänger fragen,
was ehedem die Höhlung angefüllt.
Das Kreuzesleiden? Der Erbärmdemann?
Die Mutter mit dem toten Sohn im Schoße,
die Mutter mit dem lebenden im Arm?
Das Herz der Welt, rotflammend? Oder hob
den schlanken Lilienstab der Zimmermann,
der jungfräuliche? Keine Spur verblieb.

Du selbst, sei wer du willst, bist aufgerufen,
die Leere auszukleiden, nacktes Holz
mit Glorien vielfarbig zu bedecken
und mit dem Abschein alles Himmlischen.
So schieße denn die obre Welt hinein,
aufschäumend, brausend, ruhevoll gelagert,
Natur und Gnade lodere zusammen,
für jedes Aug ein Haus der Herrlichkeit!

Nimm von der ungeheueren Palette,
nimm Farben, wie du magst! Nimm die Metalle,
nimm Ocker, Indigo, Ultramarin,
Azur und Inkarnat, Gold und Orange,
flamingofarbnen Flaum und Feuerzungen,
Perlmutter nimm und des Rubines Schrei,
der Winde Blässe und Durchsichtigkeit
und Wasserdampf aus Nüstern Behemoths.
Ergreif der Schlangen schillerndes Opal,
der Sterne Sprühn, des Wüstensandes Gelb,
der Lilie Schnee, der Unschuld Elfenbein,
das tiefe Violett der Bußezeit,
der Hölle Rot, die Glut der Untergänge,
der Wolken finster drohendes Massiv,
das Licht der Offenbarung, das sie spaltet.
Wähl auch der Urnacht Farbenlosigkeit,
der Sintflut Grau, der Taube Silberglanz,
ergreif das Dunkel aufgespaltner See,
des Regenbogens frommen Siebenstrahl,
des Weines Schaum, des Hagels korniges Weiß,
der Heidenvölker Ebenholz und Braun
und zwölfgeteiltes Funkeln des Gesteins
im Mauerkranze der verheißnen Stadt.
Vergiß auch nicht das rosige Gewölk
des frischerschaffnen Himmels, nicht die Blüten
des jungen, unbetretnen Paradieses,
des dritten Schöpfungsmorgens lichtes Grün.
Und Grün, doch dunkler, spröder, saftgemindert,
nimm für des Einzugs harte Palmenzweige.
Blau für den Mantelfluß der Gottesmutter

und für ihr Kleid Karmin, ein stumpfes Erdbraun
misch sorgsam für die rauhe Fellbekleidung
des ausgetriebnen ersten Elternpaars.
Sei eingedenk der Marmorspiegelungen
und kühler Glätte, auch des Höhlentuffs,
des bunten Sandsteins und des Travertins.
Den Scharlach brauche für den Antichrist
zum kaiserlichen Kleid. Der Purpur diene
dir für des Judenkönigs Spottgewand,
des Eisens Farbe für die Kreuzesnägel,
Blutfarbe für den Leib der Martyrer,
Schmelz für die Fittiche der Seraphsheere
und für den Engel der Verkündigung.

Dies alles nimm dir frei. Und übe nun
des Pinsels schweifendste Vermessenheit,
Erbötigkeit des Stifts, der Feder Wagnis,
des Rötels Weiche und geschärften Strich.
Mit Licht und Schatten schalte herrscherhaft
und nach Gefallen spiele wie ein Kind.
Ins Grenzenlose wachse dir das Bild,
nicht Ort noch Zeit beschränke ihm den Rahmen.
Den Himmel male, Erd und Überhimmel,
den Berg der Läutrung und den Schlund der Qual.
Zu Wolken türme die Gebirge auf,
und in die Tiefen treibe du den Schacht.
Der Sonne Stillstand schildre, ihr Verfinstern,
den Mannaregen und den Schwefelfall.
Der Dornenstrauch erglüh am Sinai
und auf dem Tabor leuchte die Verklärung.

Erzväter setze, Rinder und Kamele
und Marktgewimmel, morgenländisch Volk,
ausfahrende Dämonen, große Orte,
des Jordans Strömung und die Höhle Endors,
Gomorrha, Babels Turm, die Pyramiden,
im Sturz das Mauerwerk von Jericho,
Jerusalem und Ephesus und Rom.
Goldschein und Kronen gieße um die Häupter
Zwölfboten, Lehrern, Äbten, Königen,
Bekennern, Jungfraun, bärtigen Patriarchen,
Propheten und Leviten. Auch versäume
die heiligen Tiere nicht und nicht die Haine.
Die Kathedralen führe hügelan,
Altäre richte auf und Porphyrsäulen,
durchbrochnes Maßwerk und der Fensterrosen
verborgne Sonnendeutung. Eremiten
umgib mit Zellenwänden. Schaffe du
Portale, Krypten, Feigenbaum und Brunnen,
die Panzer der Thebäischen Legion,
Arena, Rauchfaß, Fischerboot und Kelch.

Nein. Nimm ein Stück geschwärzter Buchenkohle
und mit zwei Strichen, lot- und waagerecht,
schreib auf das Holz handhoch ein Kreuz. So ist
des Weltgefüges Inbegriff getan.

FREIHEIT
UND NOTWENDIGKEIT

Der Du Nacht- und Tagesgleichen,
großer Gleicher, eingesetzt
und der Waage Ätherzeichen
leuchtend ins Gewölb geätzt,

ja, Du liebst der Schalen Schweben,
paar zu paar und gleich zu gleich!
So im Senken wie im Heben
willst Du alles frei und reich.

Keinen hast Du vorerkoren,
keinen starr ins Lot gezwängt,
keinen jemals aus den Toren,
keinen ins Portal gedrängt

und noch dem geringsten Sohne,
den Dein ewiger Quell gebiert,
hast Du mit der Adelskrone
die gesenkte Stirn geziert.

Türmtest wohl Notwendigkeiten
unverbrüchlich um uns her,
gnadenlos wie Meeresweiten,
doch auch flüssig wie das Meer,

fahrbar Schiffern, Schwimmern trennbar,
offen jedem Sternenstrahl,
schufst das Dunkel selbst erkennbar
und den Menschen reif zur Wahl.

DAS KORN IM ACKER

Du riefst uns frühe an. Doch wir ergriffens spät.
Dein Acker ist die Welt. Dein Korn, sind wir gesät.
Vier Orte hat die Welt, vier Zeiten Jahr und Tag,
vierfach gerann zur Form der Säfte Wellenschlag.
Das Feld ist viererlei. Das Korn hat nicht gewählt,
und doch ein Drang in ihm dem Wurf sich einvermählt.
Ob es in Dorngesträuch, auf starrenden Granit,
in fette Bodenschicht, auf dürren Sand geriet,
der Platz ist vorersehn. Erharre, Korn, die Zeit!
Treib deinen Keim. Was wird, es ist nicht dein Entscheid.
Vertraue dich gewiß dem Schwung der Sämannshand:
wohin du fielst, da ist dein rechtes Ackerland.
Dann ward auch angesagt von jeder Sämerei,
daß sie ersterben muß, damit sie früchtig sei.
So, Korn, stirb hin. Du bleibst im Dunkel nicht allein,
des Säenden Geheiß wird dir Geleitschaft sein.
Sein Acker ist die Welt. Sein Korn, sind wir gesät.
Er rief uns frühe an. Doch wir ergriffens spät.
Schon wächst das Abendlicht. Das Dunstige wird klar
und hinter dieser Welt ein Andres offenbar.

DER SCHIFFBRÜCHIGE

Schiffer, dessen Schiff der Sturm zerschlagen,
hilflos Treibender, davongetragen,

angeklammert an die fäulniskranke,
brüchig halbvermorschte Planke –

Los die Hände! Und vertraue
dich ins unermeßne Blaue.

SEELE, SEELE, WERDE FREI

Wir im Harten, wir im Starren
wie in Gräber eingezwängt,
tödlich von metallner Sparren
kaltem Gitterwerk verschränkt –

Schmächtig überm Wolkenkamme
blitzt ein goldenroter Strich.
Geist der Schmerzen, Geist der Flamme,
Liebender, wir rufen dich!

Dehne dich und fahre nieder,
zögre nicht, erflehter Schein,
und mit loderndem Gefieder
brich in unsre Dürre ein.

Glühe uns im Feuerofen.
Löse uns und schmilz uns hin.
Und zu trunknen Lobestrophen
reiße den erstorbnen Sinn.

Daß der Flügel Flammenfachen
unsre letzte Kühlung sei,
daß wir über uns erwachen.
Seele, Seele, werde frei.

ZUM NEUEN POL

Dunkler Fittich, wehe Kühle
niegekühlter Stirne zu!
Trüglich öffnen sich Asyle
dem bestaubten Wanderschuh.
Trüglich bin ich nur geborgen,
bis die Pforte drängend kreischt
und im Dunst ein schwüler Morgen
den erneuten Aufbruch heischt.

Hört, Gewalten, hört, Dämonen,
Schweifende zur Mitternacht,
wie soll der gefriedet wohnen,
dem ihr Botschaft zugebracht,
den ihr an die Marken führtet,
unter dessen Sohlenpaar
ihr die bleichen Flammen schürtet,
kalt und niemals auslöschbar!

Oft gespeist und nie gesättet,
oft getränkt und nie gestillt,
unbehaust und eingekettet,
Tantalus- und Janusbild,
unterm Segen, unterm Fluche
graut und gilbt dir Platz um Platz,
ewig, ewig auf der Suche
nach dem niegeschauten Schatz.

Zugeschworen jenen Mächten,
die von fremden Ufern wehn,
in den ungestirnten Nächten
den verschollnen Pfad zu gehn,
hebe dich von Herd und Grenzen,
wandre freien Willens fort.
Ferne Hirtenfeuer glänzen,
und die Nadel weist nach Nord.

Aber spüre, wie sie tastet,
wie sie ungewiß erbebt,
wie sie bänglich überhastet
nach der alten Richtung strebt.
Und wenn deiner Pulse Schwanken
ihrem Zittern sich verflicht,
wage, wage den Gedanken,
daß das Erdgesetz zerbricht.

Jäh entlässet die Trabanten
aus dem Frondienst der Magnet,
und es hat zum Unbekannten
sich die Nadel kühn gedreht.
Wirst nach neuem Pole reisen,
und der Schatz liegt offen da,
Brot der Engel, Stein der Weisen,
Krone, Alpha, Omega.

UMKEHR

Die wir von heiligen Maßen
wichen zu Gier und Gezänk:
erst wenn wir vieles vergaßen,
werden wir wieder gedenk.

Was wir im blendungsvollen
Spiele vertan und verschmäht,
liegt es in dunkleren Schollen
wartend ausgesät?

Sprosse die alten Kräuter,
Erde, aufs neue hervor!
O erwecke der Deuter
ruhmvoll schlummernden Chor.

Treten zum Sarkophage
wir nun abermals hin,
haben Beschwörung und Frage
schon den verwandelten Sinn.

Sind wir gewiß, daß der Tote
aus der Schattenwelt steigt:
Unsere Opferbrote
wurden mit Blut geteigt.

DER FEUERWAGEN

Wohin entfährt es, das rasende, flammengeschirrte Gespann?
Über zerstampfte Gründe voll ungeschnittener Frucht –
Garbe der Jahre, Erbe und Dach zerrann
mit dem Aschengestiebe aus schwelender Trümmerschlucht.

Über der Städte glühend zerstörtes Gestein –
hinter dir, unter dir liegt, was ehmals das deine war.
Schwindelt dir? Reihe dich ein in die freie Schar
und in den feuerumflossenen Wagen wirf dich hinein!

Schwing aus dem Kerkerstand dich des leidenden Opfers
reiße die Fesseln entzwei und erkenne dein Amt: [empor,
stimm ein, stimm ein in den brausenden Lobechor,
stimm ein in das Lied, das dein Haus und dich selber ver-
                                                      [dammt.
Stimm ein, stimm ein in den brausenden Urteilsspruch!
Schäume denn über Felsen die lodernde Räderspur,
über blinde Gewässer und Wälder voll Windesbruch
über Brücken und Gärten, Weinhügel und Herdenflur!

Sag dich von Zäunen, von Ängsten und Ballast los
und von dem lockenden Schutt, der noch nie eine Seele befreit,
und so stäubst du mit Jauchzen dahin in den roten, den goldenen
aufgerissener Himmel und ihrer Unendlichkeit.   [Schoß

EX VOTO

Wir badeten in verruchten Gewässern,
wir riefen die brodelnd chaotische Nacht.
Wir haben mit steinernen Tempelmessern
dem Dämon die unreinen Opfer gebracht.

Wir aßen Ersticktes, wir tranken Beflecktes,
durchwühlten Gräber, berauscht von Gier,
entblößten frevelnd ein heilsam Bedecktes
und gaben der Taube Seele dem Tier.

Wir lagen in keimlosen Wüsten gefangen,
wir säten vermessen in dorrenden Sand.
Wir knieten vor Stieren, wir reckten vor Schlangen
und vor dem Leviathan beschwörend die Hand.

Wir haben den Untren zu Rate gesessen.
Wir übten das uralte Blutritual.
Wir hoben nächtlich bei höllischen Messen
den weißen Leib und den schwarzen Pokal.

Wir brachten den schwefligen Abgrund zum Kreißen,
da wir mit gefallenen Geistern gehurt.
Wie aber geschah's, daß uns dennoch verheißen
die chymische Hochzeit, die neue Geburt?

Wie aber geschah's, daß die Binde gefallen?
Wie riß das Netz, das uns tödlich umspann?
Es sah uns aus berstenden Bogenhallen
dreieckig das Auge der Ewigkeit an.

Wir stürzten zu Boden, uns sanken die Waffen,
von wankenden Mauern stäubte es weiß.
Und Bilder, nicht von Händen geschaffen,
betraten der Nischen entleerten Kreis.

Sie hießen uns stumm und in Strenge willkommen,
die Stirne verhüllt, geschlossen das Lid.
Da wußten wir: der nur ist angenommen,
der in sich selbst das Gericht vollzieht.

Wir sagten uns los von Brunst und Berserkern,
von eiserner Saat und sprengender Frucht.
Wir küßten die Fliesen in lichtlosen Kerkern
und bleichten erstarrt in der Totenschlucht.

Wir geißelten uns mit salzigen Ruten,
wir stießen an Schroffen die Hände uns wund.
Wir tranken begierig die glühenden Fluten
und füllten mit bitterer Erde den Mund.

Schon wächst ein Umriß aus Schlammgrund und Fäule,
es heben sich Stufen, Gebälk und Tor,
schon bildet atmend die Flammensäule
in rötlichem Rauche und Nebel sich vor.

Des Jordans Wasser will aufwärts rinnen,
schon netzt es die Sohle, schon steigt es im Schuh.
Schon strecken geweihte Behüterinnen
erbarmend uns feurige Hände zu.

Schon pochen die Säfte, sie wogen zur Mitte.
Noch sträubt sich der Stoff, doch der Spruch ist gerecht.
Bald schlagen wirs auf, das eine, das dritte,
das neue Auge im Sonnengeflecht.

Dies Auge wird jegliches Blendwerk entkleiden,
das schlummernde Bildnis gewahren im Stein,
wird Körper ergreifen und Geister scheiden,
und was es erschaut, wird geheiligt sein.

Wir wissen: wir sind nicht dem Abgrund gegeben,
schon zieht uns der sphärische Reigenton,
und über uns sehn wir die Kuppel schweben,
befestigt allein am ewigen Thron.

Wir stocken. O tragt uns, ihr Flügelgestalten.
Uns dunkelts. O stärkt uns, besprengt das Gesicht.
O wollet im Stand der Entsühnung uns halten,
in eurem Gefolg und in eurer Pflicht.

Was je wir besudelt im Greul der Entehrung
und was wir zerschlugen, ihr stelltet es her.
Nun gönnt uns auf ewig die göttliche Zehrung,
allhütende Kräfte. Verlaßt uns nicht mehr.

BEFREIUNG

Für Reinhold Schneider

Du hast mit bänglichem Befragen
gespäht nach schirmendem Geleit.
Nun, da die Stunde groß geschlagen,
begehrst du keine Sicherheit.

Jäh aufgerissen heult die Schleuse,
die Wogen schießen schäumend hin,
und aus dem berstenden Gehäuse
hebst du dich frei zum Urbeginn.

Du siehst Geburt und Tod verkettet
heil in den einen goldnen Ring
und fühlest, daß die Welt, gerettet,
schon in das Gleichnis überging.

DIE HEIMLICHEN
NAMEN

Ich nenne die Namen
der heimlichen Zeit.
Ich weiß, sie umrahmen
so Liebe wie Streit.

Ich weiß, sie umzirken
den schwärzlichen Stein.
Den Schimmer der Birken
schließen sie ein.

An dämmernden Wegen
den Blütenschwall,
den herbstlichen Regen,
das weiße Kristall.

Das alte Verschulden,
die ätzende Reu,
das kalte Gedulden
umfassen sie neu.

Das frühe Verlernte
rufen sie auf.
Vergeudete Ernte
drängt sich zuhauf.

Ich weiß, sie entriegeln
ein zagendes Licht,
aus Masken und Spiegeln
das erste Gesicht.

Aus irrenden Tönen
und fernem Geläut
ein letztes Versöhnen
so ewig wie heut.

O dunkler Versüßer
im gilbenden Land,
lächelnder Büßer
im Hochzeitsgewand.

AM HIMMEL
WIE AUF ERDEN

(Tabula smaragdina Hermetis)

Also spricht der weltenalte
hohe Hermes Trismegist:
Nirgends ist das Ungestalte,
nirgends Willkür, Trug und Zwist.

Was aus Formeln und Retorten
nie ersprießt und nie erglimmt,
fühlt, wie es aus meinen Worten
herrlich seinen Aufgang nimmt.

Königlich euch zu begaben,
kein Erkennen bleibt versagt.
Und so hab ichs eingegraben
in die Tafel von Smaragd.

Gleichwie oben, also unten.
Alles kreist auf gleicher Spur,
Sonne, Sterne, Lichter, Lunten,
Räume, Zeiten, Geist, Natur.

Eins dem andern zugesiegelt,
eins dem andern eingetraut,
eins vom andern abgespiegelt,
Geister, Tiere, Kraft und Kraut.

Gleichwie unten, also oben.
Goldne Kette allen Seins!
Alles ist in eins verwoben.
Nicht verwoben: es ist Eins.

Licht und Schwere sind am Ziele,
Starres strömt und Rasches ruht,
und die letzten Widerspiele
einen sich: Gestalt und Flut.

Lernt die Charaktere lesen
losgesprochnen Angesichts.
Was nicht wird, ist nie gewesen.
Faßt es. Sonst bedürft ihr nichts.

IN DEN BACH GEBETTET

Daß ich die lautere, leichte, die heilsame Kühlung erfahre
ward ich vor Menschengedenken ins silberne Bachbett gesenkt
Mit der Strömung wehn meine langen grünenden Haare,
reglos in buntem Gerölle ruhn meine Hände verschränkt.

Manchmal haftet an Brust mir und Stirn der Laich der Forelle
Muscheln und Schneckenvolk schmiegen sich glatt an die Haut
manchmal streift mich der flüchtige Schatten der schlanken
Libelle
oder es rührt mich gelind ein schlingendes, schwimmendes
Kraut

Längst vergaß ich das Wort und der Drossel schmetterndes
Rufen
Schritte und Sensengeklirr und der Glocken hallenden Chor
und nur das Rauschen der Flut an den Felsenstufen
füllt mir gelassen mit treulichem Gleichmaß das Ohr.

Über mir zieht das Wasser gewichtlos die ewige Reise,
ungeblendet seh ich ins leichte, gefilterte Licht,
unbedürftig des Schlafs, der Hoffnung oder der Speise.
Mich überfluten die Jahre, doch ich erkenne sie nicht.

DUNKEL UND LICHT

Fenster, herbstlich verhangen
von Blätter- und Tropfenfall.
Seele, in Schwermut gefangen
wie in schwarzem Kristall.

Silbrige Strahlen vergittern
die grundlose Finsternis,
aber ihr Blitzen und Zittern
macht erst das Dunkel gewiß.

Will es schon dämmern? Schwindet
der letzte schmächtige Schein?
Aber das Licht, das erblindet,
hört es drum auf, zu sein?

DIE BOTSCHAFTEN

Die du gingest, alle Steige,
waren sie nicht je und je
voll geheimer Fingerzeige
wie die Vogelspur im Schnee?

Was dir half und dich befehdet,
was dich löste, was dich band,
alles hat zu dir geredet
und dir Ahnung zugesandt.

Wenn sich an den Fensterscheiben
blank der Eiskristall formiert,
schien es nicht ein hohes Schreiben
und von Geisterhand petschiert?

Haben dir nicht Throngestühle,
Hochgericht und Windesbraut,
Mückentanz und Brunnenkühle
ihre Botschaft anvertraut?

In Gelärm und Waffenblinken,
Hahnenschrei und Abendrot
fühltest du verstohlnes Winken,
voller Gleichnis Wein und Brot.

Die Metalle in den Schächten,
alles sprach dich heimlich an,
und in den gestirnten Nächten
Wega und Aldebaran.

Honigzellen, Lämmerweiden,
Hochzeitslied und Litanei
und der Völker dunkle Leiden
und der Kinder lichter Schrei,

Bilderwerk auf Sarkophagen,
Flöte, die im Busch verscholl,
und die großen Vätersagen
von Iakchos und Apoll –

was auf abertausend Blättern
hieroglyphisch um dich war,
alle Zeichen, alle Lettern
werden einmal offenbar.

Was im Bild dir zugekommen,
ohne Hülle wird es dein.
Wirst ins Klare aufgenommen
und fast unverwundert sein.

DAS WEIZENKORN

Kein Spaten hat, kein Blick das Königsgrab geweckt,
der Wüste reiner Sand hats wehend zugedeckt.
Noch trug das Feld, von Blut und Grenzstein nicht entweiht,
die erste Silbersaat der sündelosen Zeit,
von frühen Göttinnen geheim herabgebracht,
als schönstes Erbteil den Menschen übermacht.
Noch war die heilige Kraft des Weizens nicht geschwächt,
noch ehrte treulich ihn ein ahnendes Geschlecht,
und noch verleibte sich im stillen Körnerglanz
die Glorie Babylons, der Ruhm Ägyptenlands.
Des Ingesindes Dienst, der Söhne Ehrfurcht gab
dem Herrn, der westwärts schied, dies steingefügte Grab.
Sie bargen im Verschluß der balsamierten Hand
ein weißes Weizenkorn als Talisman und Pfand.
Des Keimens Willigkeit verblieb ihm unversehrt
wie Mosis Dornbusch, den die Flamme nicht verzehrt.
Und wenn der Engel einst in die Posaune stößt,
wenn brausend der Orkan den Königsbau entblößt,
dann tritt es unverstört aus seinem dunklen Schrein
und wird zur Jüngsten Zeit die letzte Hostie sein.

DAS VERTANE SCHWEIGEN GIB
UNS WIEDER

Das vertane Schweigen gib uns wieder,
dunkles Kraut, das zwischen Gräbern sprießt!
Lehre uns vom Wort erlöste Lieder,
Quell, der stumm aus schwarzem Grunde fließt!

Was sich offenbarte, wird zerstörbar,
was zu blühen wagte, das verdorrt.
Das Geschwiegne nur bleibt ewig hörbar,
und das nie Vollbrachte erbt sich fort.

VERSUS MYSTICI

Öffne die Lippe nicht.
Sie selbst soll springen,
wie Atem dein Gedicht
ans Helle dringen.

Was kannst du noch erflehn,
welch Heil erbitten?
Ist es dir nicht geschehn
auf allen Schritten?

Such nicht in Schriften Rat
noch Pentagrammen.
Umfing dich nicht das Bad
der Fegeflammen?

Die heilige Rose blüht.
Der Kern wird sichtbar,
im Feuer ausgeglüht
und unvernichtbar.

DER TÜRKLOPFER

Du grünmetallnes Löwenhaupt,
blind und bestaubt,
von überjährigem Spinnenwerk umschnürt,
wo blieb die Hand, die dich zuletzt berührt?
Wie lange Zeit verging,
seit zögernd sie den Ring,
den du im Maule trägst, erhob und fallen ließ
und so mit aufgeschrecktem Laut
die Stille der Verlassenheit durchstieß?
Mag sein, vor Alter schrumpfte ihr die Haut,
mag sein,
sie krampfte sich schon längst dem Sargesdunkel ein.
Du aber, Mensch, du heut und jetzt
im totenweißen, schwülen Mittagslicht
vor diese Tür gesetzt
und dieses stumme Löwenangesicht,
– ist denn die Wahl noch dein?
Nichts kann geschehn, als was mit dir begann.
Dem Staube schreib ein Kreuzeszeichen ein
und schlage an.
Was diese Tür verhüllt, das frage nicht,
und nicht, wer dich geleitet,
sobald das trockne Spinngewebe bricht
und jäh dein Fuß die Schwelle überschreitet:
ein dunkler Gang,
ein neues Tor,
ein schauerlicher Felsenhang,
ein Meer, ein Moor,

ein nächtiger Fluß mit Schlamm und Schlick,
ein Garten, der nicht Winter hat,
der nie vollzogne Augenblick,
Ägypten, Ophir, Josaphat.

SPÄTE EINKEHR

Müdgeeilt, müdgeirrt,
Grelle und Tageslauf –
tut noch ein letzter Wirt
milde die Pforte auf?

Noch brennt vom Wüstenwind
Aug mir und Haut.
Bilder und Worte sind
blind und vergraut.

Was kaum begonnen war,
welkt und zerfällt.
Kinderhand, Jünglingshaar
Schatten und Schemen gesellt.

Mitternacht, Mutternacht,
schließe mich wieder ein,
lasse im Dunkelschacht
tief mich geborgen sein.

Brunnen voll lauer Flut,
schwarzer, schweigender Schrein,
nimm mich in deine Hut,
tränk mich mit Sternenblut,
denn ich bin dein.

DIE WIEDERGEBURT

Tief aus dem innersten Ringe,
da mein Ursprung begann,
weht mit lösender Schwinge
dunkle Kühlung mich an.

Und ich weiß mich gerufen,
und so bin ich bereit.
Draußen auf Gängen und Stufen
laß ich das fleischerne Kleid.

Abwärts, aufwärts zu fallen,
schmerzlos von Schicht zu Schicht,
bis mich die Schwärze kristallen
und wie ein Flaum umflicht.

Von der Dinge Gestalten
bildlos, blicklos umstarrt,
atme ich unzerspalten
ewige Gegenwart.

Der ich die Form verschworen
und die Fesseln des Lichts,
werde wiedergeboren
in dem lebendigen Nichts.

DIE ÜBERWINDER

Wandrer, wo der Weg sich zweigt
in der toten Nacht,
eh der neue Bogen steigt,
steh und sei bedacht.

Sieh, du trankest vielbedroht
aus dem dunklen Krug,
und das bittre Aschenbrot
schmecktest du genug.

Flüstertrost und Hoffnungswort
wage zu verschmähn
und verlerne, fort und fort
bänglich auszuspähn.

Was erkennbar sich vollzieht,
das vollzieht sich nicht.
Mitternächtig zum Zenith
stieg ein andres Licht.

Wenn der Sturm die Erde fegt
und mit Feuer tränkt:
alles ist dir aufgelegt,
alles dir geschenkt.

Plötzlich liegen Jahr um Jahr
hinter dir verwest,
junger Wind greift in dein Haar,
und das Herz genest.

Und so werde neugesinnt,
bis der Pfad sich hellt.
Nur in dir und deinem Kind
wendet sich die Welt.

DIE WELTORDNUNG

Ein Geburtstagsgedicht

Erwache. Schon hebt sich die Helle
aus Herbstlaub und flammendem Wein.
Ich läute mit silberner Schelle
glückselige Zeiten ein
und die Fülle der himmlischen Dinge.
Merk auf, was ich dir bringe
und was ich dir offenbare
vom alten zum neuen Jahre.

     Im Himmelreich steht
     ein Apfelgebüsch.
     Da sitzt Jesus Christus
     an einem goldenen Tisch.
     Der Fuß ist von Jaspis,
     der Stuhl von Achat,
     und der Tisch ist gedeckt
     mit Goldbrokat.

     Mit Sternen bestickt
     ist das blaugoldne Tuch.
     Drauf liegt in der Mitte
     ein flammendes Buch.

Drin ist gesetzt und bestimmt,
wie die Welt ihren ewigen Fortgang nimmt.
Daß keines zweifelt und fragt,
ist alles klärlich gesagt.

Es sollen in klingenden Kreisen
die alten, die sieben Planeten
die himmlischen Häuser durchreisen
und Gott anbeten.

Die Engel solln Brunnen und Blüten
und die Herzen der Liebenden hüten
und manchmal sich lassen hören
in kristallenen Chören.

Die Völker solln bangen und irren,
geblendet Triumphwagen schirren
und zuletzt in feurigen Jahren
Gericht und Gnade erfahren.

Die Sonne soll strahlen,
graue Zäune mit Gold bemalen,
der Regen soll niederzischen
und die dorrende Erde erfrischen.

Immerfort soll still und in Treuen
der Abend die Erde erneuen,
bunte Wölkchen türmen und häufen
und den himmlischen Mohnsaft träufen.

Mond, Käuzchen und Wolfshund solln wachen.
Die Fröhlichen sollen lachen,
die Traurigen weinen,
bis wieder die goldenen Stunden scheinen.

Wachsen solln Pappeln und Kletten
und die Kinder des Nachts in den Betten
und an Stauden und Ästen
heilsame Blätter für alle Gebresten.

Dazu Fohlen und Kalb im Stalle,
Christrosen im Schnee,
Auster, Perl und Koralle
in der blaugrünen See.

Der Bäcker soll backen,
der Fleischhauer hacken,
der Schnitter im Schweiße mähen,
die bucklige Schneiderin nähen.

Der Hirt soll die Geißen weiden
und sich Flöten vom Strauchholz schneiden,
der Briefträger Treppen springen,
Glückwünsche und Rechnungen bringen.

Die Soldaten solln Schildwach stehen,
insgeheim nach den Mädchen sehen,
fluchen und endlich marschieren
zu ihren letzten Quartieren.

Das Gold soll im Berge reifen,
das Korn auf den Ackerstreifen,
daß die schimmernden Ähren
jeden Hungrigen nähren.

Den Glocken ist aufgetragen,
verlässig die Stunden zu schlagen,
dazu mit hallendem Läuten
die heilige Zeit zu bedeuten.

Die eisernen Kolben solln stampfen,
die Essen und Schornsteine dampfen
und die Flammen in roten Fanfaren
bei Nacht zum Himmel auffahren.

Das Irrlicht soll sich entzünden,
vergrabene Schätze zu künden,
der Phönix im Neste verbrennen,
das Einhorn die Unschuld erkennen.

Die Schwälbin soll zwitschern und schwatzen,
ihre Jungen in Liebe atzen,
die Lerche die Frühlingsflur zieren
mit silbernem Tirilieren.

Junge Pferde sollen im Hetzen
über Hecken und Hürden setzen,
die Segel solln schwellen und knattern
und die Wäsche im Winde flattern.

Forellen solln spielen im Kühlen
und Ratten im Kellerstroh wühlen
und Bienen zu ihren Zeiten
den süßen Honig bereiten.

Der Weinstock soll sich beschweren
mit gelben und bläulichen Beeren,
der Sauser im Fasse spritzen,
das Harz aus dem Fichtenstamm schwitzen.

Steingötter sollen verwittern
hinter geschmiedeten Gartengittern,
Tritonen und Nymphen sich necken
in den marmornen Plätscherbecken.

Die Lippen solln singen und schweigen,
das Ohr willfährig sich neigen,
und jede Wunde
sich schließen zu ihrer Stunde.

Alle Menschen solln hoffen und streiten,
die Toten zur Erde geleiten,
solln Leid und Fröhlichkeit sehen
und danach zu Grabe gehen.

Mit Sternen bestickt
ist das blaugoldne Tuch.
Drauf liegt in der Mitte
ein flammendes Buch.

Darin soll jegliches Wesen
seine Freiheit und Schuldigkeit lesen.
So muß die Erde bestehen
und alles nach Recht geschehen.

Ganz zuletzt steht geschrieben:
Du sollst mich immer lieben.

EIN DANK

Mein Lippentrost und Tausendschatz,
mein hochgelobter Rosenplatz
und immer neue Braut,
was sagen wir zu Jahr und Tag,
zu Glockenschlag und Herzensschlag,
zu Frucht und Bitterkraut?

Wir hatten einerlei Beginn,
der Weg Woher, der Weg Wohin
hat Schritt um Schritt gezählt.
Die stumme Nacht ward uns beredt.
Der Stern, der überm Hause steht,
hat dich wie mich erwählt.

Dem dunklen Engel, der mich wägt,
mit Fäusten schlägt, auf Händen trägt,
gabst du dich willig preis.
So hält er an uns beiden Wacht,
schließt uns in gleichen Brunnenschacht
und gleichen Schimmerkreis.

Was sagen wir zu Tag und Jahr?
Die Stille macht sich offenbar,
die Worte werden klein.
Du bist mir alle Tage not
wie Wasser, Luft und schwarzes Brot,
wie Feuer, Salz und Wein.

DAS GESCHMEIDE

Im Wüsten lag die Welt. In Gischt und Brausen fuhr
durch ungeschaffne Zeit die flammende Tinktur.
Die Zeit bricht zählbar an. Der Feuerfluß gefriert.
Er hat zum Sechzehneck kristallisch sich formiert.
Da tritt aus schwarzem Schlaf der süße Farbenschein.
Vom Sonnenlicht erblüht, schmilzt er dem Glanz sich ein.
Was so gebildet ward, es ist zur Form befreit,
ist eingestimmt dem All zu freudiger Dienstbarkeit.
Im liebenden Gesetz, von Willkür frei und Zwang,
unwissend selig ruht die Welt äonenlang.
Um alles Grausen schließt sich still der goldne Ring.
In ihm liegst du wie ich und jedes Schöpfungsding.
Und so verknüpft dich lind der Schmuck um deinen Hals
mit aller Tröstlichkeit des lieben Erdenballs.

POETA CREATOR

Ein Glückwunschgedicht

Dir zu gutem Jahrgeleit,
Liebste, tat ich viel,
trieb ich vor Beginn der Zeit
großes Zauberspiel.

Heftete die Silberzier
an den Himmelsplan,
Waage, Sirius und Stier
und Aldebaran.

Schnitzte dir das Mondenhorn
blank aus Elfenbein,
ritzte ihm mit goldnem Dorn
meine Zeichen ein.

Hab im West den Himmelshang
rot und gold betupft,
Flocken für den Christnachtsgang
dir zurechtgezupft.

Salzte dir das Kattegatt
und den blauen Belt,
türmte Mönch und Ararat
und das Dach der Welt.

Schickte in die Fluten kühl
Karpfen und Delphin,
tat ins dunkle Felsgestühl
Quarz und Almandin.

Schiffe habe ich entsandt
in den Ozean
und bis in das Neumondsland
meine Eisenbahn.

Flüsse schüttete ich hin,
Rhone, Nidda, Schlei,
Orinoko, Po und Inn,
Lahn und Jenissei.

Städte hab ich ausgestreut
und sie groß benannt,
Marktgewühl und Turmgeläut
ihnen zuerkannt.

Famagusta, Astrachan,
Algier, Lima, Tours,
Löbichau und Teheran,
Mülheim (an der Ruhr).

Tempel, Säule, Siegesmal,
Burg und Löwentor,
Krönungsdom und Kaisersaal
wölbte ich empor.

Völker habe ich gesät
gelb und weiß und braun
dir allein zum Spielgerät,
Männer, Kinder, Fraun.

Jedem wies ich Würde an,
Perser, Mohr und Christ,
Bischof, Herzog, Ackersmann,
Fischer und Chymist,

Gärtnerin und Pulcinell,
Zofe, Dieb, Notar,
Geiger, Zimmermannsgesell,
Derwisch und Husar ...

Hab dem düstren Wasserfall
Gischt und Glanz verliehn.
Übte mit der Nachtigall
ihre Melodien.

Setzte vor den Fensterschlitz
dir das Seegeviert,
das der weiße Möwenblitz
ruhelos umgiert.

Hab, so weit mein Auge sah,
grün den Grund beschickt,
Wiesen mit Campanula
und Salbei bestickt.

Pflanzte Mohn und Akelei,
Zimt und Zuckerrohr
und ein Kräutlein Wohlverleih
in den Gartenflor.

Gab dem Birnbaum goldne Last,
schlanken Gang dem Reh,
frühen Duft dem Seidelbast,
Schmeichelhaar dem Feh.

Hab den Floh mit Springerkraft
königlich beschenkt
und mit unerschöpftem Saft
jeden Strauch getränkt.

Schuf das Einhorn ohne Fehl,
flügelstolz den Greif,
lieh dem Pfau sein Kronjuwel,
seinen Siebenschweif.

Gab der Schlang den Züngeldolch
und das Schuppenkleid
und dem gelben Feuermolch
Unverbrennbarkeit.

Kräuselte den lichten Schaum
auf dem roten Wein,
kleidete in zarten Flaum
dir den Pfirsich ein.

Kaffeestaude wird gebaut,
Kolanuß und Reis,
Ananas und Tabakskraut
nur auf mein Geheiß.

Alle Dinge fügte ich
an den rechten Platz,
selbst den bernsteinfarbnen Strich
in das Aug der Katz.

Aber heiß von Schöpferbrunst
plante ich noch mehr,
richtete ich voller Kunst
einen Popanz her.

Formte Tod und Krokodil,
Krieg und Pestgerücht
und zu Spiel und Widerspiel
nächtliches Gezücht.

Ja, den Kasperl-Kavalier
mit dem dicken Bauch
und der blanken Ordenszier,
Liebste, schuf ich auch.

Spielten stolz und meisterlich
sie ihr Räuberstück,
in den Kasten lege ich
lächelnd sie zurück.

Also hab ich Schwarz und Bunt
deinethalb gemischt
und dir alles Erdenrund
gastlich aufgetischt.

Schuf ich alles dir zu Sinn,
alles dir zugut,
nimm die Welt willfährig hin
und mit hellem Mut.

Weil ja Liebe sie entwarf
bis zum ärmsten Keim,
nichts ist, was dich schrecken darf,
und du bist daheim.

ZUSPRUCH AUF ALLE
FEST-, PEST-, JAHRES-
UND WOCHENTAGE

Schlechtes Maul hat dich verraten,
schlechtes Auge dich versehn.
Um zwei Groschen, zwei Dukaten
mach ich alles ungeschehn.

Sei getrost! Und jeden Zauber
üb' ich dir, geliebte Frau,
bade dir die Erde sauber
und den Himmel wieder blau.

Schulterschmerzen, Hexenschüsse,
Traurigkeit und schwarzes Blut –
um zwei Nüsse, um zwei Küsse
mach ich alles wieder gut.

Um ein einziges Morgenlachen
als getreuster Nekromant
richt ich deine Siebensachen.
Gib sie nur in meine Hand!

Körbe füll ich und Behälter.
Morgen solls Rosinen schnein!
Ewig strömt aus meiner Kelter
roter Wein und weißer Wein.

Klirrt es? Mit verborgnen Mitteln,
Hundstollkraut und Bibergeil,
Magierworten, Schlangendritteln
mach ich alles wieder heil.

Hab den Winter weichen heißen,
und das Eis war balkendick!
Und für jedes Strickereißen
spinn ich Strick und Aberstrick.

Kein Verfluchter darf dich quälen.
Lache nur und halte still.
Deine Haare muß erst zählen,
wer dir eines krümmen will.

Bin ich fort, du fährst nicht schlechter:
bis an meine Wiederkehr
stell ich sieben goldne Wächter,
sieben Leuchter um dich her.

Mußt nur glauben, hoffen, lieben,
denn ich hab dem Himmelsschoß,
hab der Sternbahn eingeschrieben
deinen Namen und dein Los.

ZU LEHEN

Ich bin nicht mein, du bist nicht dein.
Keiner kann sein eigen sein.

Ich bin nicht dein, du bist nicht mein.
Keiner kann des andern sein.

Hast mich nur zu Lehn genommen,
hab zu Lehn dich überkommen.

Also mags geschehn:
Hilf mir, liebstes Lehn,

daß ich alle meine Tage
treulich dich zu Lehen trage

und dich einstmals vor der letzten Schwelle
unversehrt dem Lehnsherrn wiederstelle.

DER RING

Weh und Leid! Der goldne, alte,
steingezierte Fingerring
rollte in die Felsenspalte,
leis erklirrend, und verging.

Werde frei und laß ihn fahren!
Weiß er doch, wohin er fiel.
Müßig wohl nach tausend Jahren
scharrt ein Hirte, halb im Spiel.

Zwischen Trümmern und Gestäude
blitzen sieht er Gold und Stein!
Und in seines Mädchens Freude
wirst auch du zugegen sein.

DER VATER AN DAS KIND

Bald gewährend, bald verneinend,
Allmacht mit Bedenken einend,
wunderlicher Spielgefährte,
Kleiner, bin ich dir.
Zauberfäden, altverjährte,
glitzern zwischen dir und mir,
bunte Späße, Spruch und Reim.

Manchmal lächelst du geheim,
so als hättst du urvertraut
mich samt allem Rätselhaften,
Gift und Heiltrank, Stern und Kraut,
alle Welteneigenschaften
längst und ohne Arg durchschaut.

Immer wieder muß ich dir berichten
unverrückt die nämlichen Geschichten.
Mit den Augen blank und groß,
hingedehnt in meinen Schoß,
gibst du eifersüchtig acht
auf den rechten Gang der Dinge,
daß kein winziges Wörtchen fehle,
keine Geste sich verhehle,
– hier geweint und dort gelacht! –
keine Silbe anders klinge
als beim allerersten Mal:

Hieß der eine Tamosiukas
und der andre Lukasiukas,
hieß die eine Patuljuke
und die andre Diduljuke,
Ziege fraß die Birke kahl,
Silberwurz wuchs auf dem Mist,
Mäusewagen kam gezogen,
Rauch entquoll der Wunderbüchse,
und die Katze voller List
köpfte mit dem Geigenbogen
tief im Wald die jungen Füchse.

Zauberfäden, altverjährte,
glitzern zwischen dir und mir.
Wunderlicher Spielgefährte,
Kleiner, bin ich dir.

Kommst du zu gescheiten Jahren,
bin ich längst davongefahren.
Streift ein Flügelwind dich leis,
denk, ich sei's.

TOTENKLAGE UM SAMOGONSKI

Brüder, Samogonski ist gestorben!
Ewige Ruhe seiner starken Seele!
Unablässig soll sein Nachruhm dauern.

Welcher Ruhm? Er brannte, brannte Branntwein,
brannte Branntwein, wie kein andrer brannte,
und sein Branntwein brannte wie kein andrer.

Nicht an Krankheit starb er, nicht an Alter.
Weil die Trübsal in der Welt sich mehrte,
hat der Gott der Bäume und der Trinker
und der Bienen ihn davongenommen.

Liebreich mög er uns vor Augen bleiben:
warzig, harzig, knollig wie ein Wildbaum,
bärtig, borstig, bräunlich, rotgesichtig.

Tief im Wald versteckt lag seine Hütte.
Niemals fand sie einer der Verfluchten,
niemals ein Beamter der Akzise,
niemals einer von den Landgendarmen,
nie auch eins von jenen Frauenzimmern,
den gehässigen Helfershelferinnen,
den denunziationsbereiten
Vorstandsdamen vom Zentralvereine
gegen Mißbrauch geistiger Getränke.

Ach, er brannte Branntwein wie kein andrer!
Einstmals, so gedenk ich, sind drei Tropfen,
drei verschüttete, hinabgefallen.

Kam die Maus und schleckte einen Tropfen.
Herrlich hat sie sich emporgerichtet.
Alle Schläfer hörten ihre Stimme.
«Katze, Katze», rief sie, «sprich, wo bist du?
Katze, komm hervor! Wir wollen kämpfen.»
Doch die Katze kam nicht. Sie auch hatte
einen Tropfen aufgeleckt vom Boden.
Augenblicklich war sie ausgezogen,
nach dem Löwen, dem Gepard zu suchen.

Ungesogen blieb der dritte Tropfen.
Durch den Teppich, durch die Dielenbretter
fraß er höhlend sich die Feuerstraße,
zischte abwärts durch die Grundgewässer,
unvermischlich, unverlöschlich fuhr er
durch den Lehm und der Gesteine Schichtung
immer tiefer. Und wir knieten nieder,
preßten unsre Augen an die Öffnung,
spähten bebend durch die schmale Röhre:
In der Mitte der geschaffnen Dinge
sahn wir rot das Herz der Erde schlagen.

EINMAL

Einmal trinkt der Frühwind alle Tränen,
einmal wird sich das Gewölk begüten,
einmal aus der Büsche blassen Mähnen
heben zaghaft sich die gelben Blüten.

Einmal finden sich die Langvermißten.
Ungekräuselt glänzt der Sand der Dünen.
Kleine graue Vögel werden nisten,
und die Jahre werden ewig grünen.

O KOMM, GEWALT DER STILLE

Wir sind so sehr verraten,
von jedem Trost entblößt.
In all den schrillen Taten
ist nichts, das uns erlöst.

Wir sind des Fingerzeigens,
der plumpen Worte satt.
Wir wolln den Klang des Schweigens,
das uns erschaffen hat.

Gewalt und Gier und Wille
der Lärmenden zerschellt.
O komm, Gewalt der Stille,
und wandle du die Welt.

DIE TAUBE

Süßen Honig stäubt das Wiesenland,
und der Südwind bringt Geruch von Reben.
Wo zuvor die dunkle Wolke stand,
seh ich silbern eine Taube schweben.

Sind die bittren Wasser abgeflossen,
und die Erde ist nicht mehr verflucht?
Oder hat der Geist sich neu ergossen,
und sein Volk der Tröster heimgesucht?

ANNO DOMINI

Jahr des Segens, Jahr der Gnade!
Baum an Baum stand schwer behängt.
Dröhnte es, so wurden Pfade
wirtlich in den Fels gesprengt.

Schiffe fuhren ungeleitet,
Küsten schliefen unbewacht,
auf den Märkten hingebreitet
schimmerte die bunte Fracht.

Enkeln war es schon Legende,
daß der Ahnherr Waffen trug
und in berstendem Gelände
sich um Grund und Grenze schlug.

Niemand wußte mehr zu deuten,
was die alte Zeit erfuhr,
denn ein fernes Glockenläuten
schirmte, grenzte Land und Flur.

Goldgesättigt, silberhaltig
schien das ärmste Stufenstück.
Äcker gaben hundertfaltig
das empfangne Blut zurück.

Öl und Honig glomm kristallen,
in der Scheuer brach die Wand,
und das Weltmeer warf Korallen,
Schwamm und Perlen auf den Strand.

Unerschöpflich aus den Trauben
rann der süße Lauterbach.
Fromme Schwalben, weiße Tauben
nisteten auf jedem Dach.

Sonne kündeten die Bienen,
fetten Regen der Pirol,
und noch um Sankt Katharinen
blühten Lilie und Viol.

Jedem Pilger auf den Straßen
wurde Most und Brot gereicht.
In der milden Sonne saßen
Alte, und sie starben leicht.

REITERGEDANKEN

Die beigezäumte Stute
setzt langsam Sprung an Sprung.
Es läuft in meinem Blute
der gleiche Gang und Schwung.

Da ist kein einziger Tropfen
willkürlich und allein,
und alle Pulse klopfen
mit Freuden überein.

Leicht knarrt es von den Ledern,
und leicht ist mir zu Sinn.
Den Sattel spür ich federn
wie eine Tänzerin.

Was soll durch Tal und Hügel
die tolle Brausefahrt?
Fest ist der Gaul am Zügel,
der Sporn hält ihn verwahrt.

Was will die ungespaltne,
geschwinde Leidenschaft?
Denn mehr ist die gehaltne
als die entsandte Kraft.

Es ist Gesetz und Maßen
in Freiheit untertan
der Star auf Wolkenstraßen,
das Blei auf seiner Bahn,

der Klöppel an den Glocken,
der Drescherschlag im Takt,
das Gleiten weißer Flocken,
der wilde Katarakt,

die Ströme und Forellen
und schräger Regenfall,
die Sprünge der Gazellen,
der Kreisel und der Ball,

des Rauches Ziehn und Steigen,
das Zischen am Ventil,
die Flöten und die Geigen,
der Wiegen Schaukelspiel,

des Grases träges Sprießen,
des Springquells Ab und Auf,
des Verses Sturm und Fließen
und der Planetenlauf,

des Donners volles Rollen,
das Zittern heißer Luft
und noch der Erdenschollen
Gepolter in die Gruft.

In solchem Selbstvergessen,
da hab ich unvermerkt
mit leichtem Schenkelpressen
des Tieres Gang verstärkt.

Gebüsch und Hecken gleiten
vorüber wie geträumt,
und vor mir aus dem Weiten
kommt hell ein Wind geschäumt.

Den Häher hör ich rufen
in Nuß und Buchenlaub.
Es wölkt sich von den Hufen
ein leichter Morgenstaub.

Und wie ich weiterfegte,
da hab ich recht gespürt,
wie allwärts das Bewegte
geheim ein Einklang führt.

So will ich allzeit sprechen:
Es kann uns nichts geschehn,
es kann uns nichts gebrechen,
die Welt ward uns zu Lehn.

Nichts, nichts kann sie verzerren,
kein Irrwisch noch Komet,
gleich wie das Pferd dem Herren
getreu am Zügel steht.

Wir kreisen mitteninne
in Rhythmus und Gefäll
und haben zu Gewinne
den nie erschöpften Quell.

Und so auf meinem Ritte,
da ist es mir zuletzt,
als sei ich in die Mitte
der ganzen Welt gesetzt.

Da fühl ich allerwegen,
daß mir gewiß und gut
der ganzen Welt Bewegen
in Hand und Schenkeln ruht.

DER VOGELKIRSCHENBAUM

Als das Haus sich aus dem Baugrund reckte
und der Garten stieg aus Schutt und Sand,
einen Trieb der Vogelkirsche steckte
ich ins schwärzliche gesiebte Land.

Und wie Kinder in gewiesnem Gange
unversehens wachsen, unvermeint,
wuchs der Baum mit grünendem Behange
ohne Irrung und der Eile feind.

Und nun hebt er, wie die Zeiten kehren,
seiner Blüten schäumendes Gelock
und den Schimmer seiner blanken Beeren
mir ans Fenster in den Oberstock.

Märzwind flüstert in den kahlen Ruten,
und sie blinken, wenn der Schnee zerschmolz.
Regen, Sternenkühle, Sonnengluten,
wachsam nähren sie das weiche Holz.

Einmal brach ein Nachtsturm seine Spitze,
lang schon ist des Bruches Ort verheilt.
Schloßen schlugen ihn und gelbe Blitze,
und der Nebel hat im Laub verweilt.

Feuerwürmchen glühten ihm zur Seiten,
und der Mond hat ihm im Haar geruht.
Also maß er mir den Gang der Zeiten,
er, der junge, wie ein Weiser tut.

Und als stünde er seit Väterjahren
gleichmutsvoll und in gelassnem Recht,
lud er ungezählte Vogelscharen
in der Zweige rieselndes Geflecht.

Gute Wiederkehrer, Brüter, Nister
füllten ihn mit tausendfachem Laut,
seinen schlanken Blättern wie Geschwister
nah verwandt und innig angetraut.

Treulich, Vögel, wart ihr mir verbündet,
hab euch Hanf und weißes Brot gestreut,
und wie oft hat mir den Tag verkündet
trostvoll euer schmetterndes Geläut!

Einmal fiel ein Junges tot vom Neste.
Meine Kinder gruben fromm es ein,
und sie setzten zwei gekreuzte Äste
maßgerecht und einen Kieselstein.

Einem! Aber tausend sind gegangen,
tausend, die in meinem Baum gehaust,
tausend, die vor meinem Fenster sangen,
tausend, die von meinem Brot geschmaust.

Wüßt ich nur, wo eure Flügel modern,
winzige Kerzen stellte ich euch hin.
Zum Gedächtnis sollten sie euch lodern
und den kleinen Seelen zum Gewinn.

Ach, ihr braucht kein menschliches Gedenken,
seid in einem angemessnen Licht,
unerreichbar jeglichem Beschenken,
ohne Furcht vor Urteil und Gericht.

Euer ward ein völliges Genügen
und ein Sein geheimnisvoller Art.
Dürft ihr neuen Luftbereich durchpflügen?
Ward ein Himmelsbaum euch aufgespart?

Und vielleicht, ihr schweift zur Dämmerstunde
irgendwo in einer Schattenschar
und begegnet dem geliebten Hunde,
der wie ihr mir ein Gefährte war.

Ihr erkennt ihn? O dann mags geschehen,
leicht wie Blätterfall und vogelschnell
rührt vertraulich euer Flügelwehen
ihm das lichte, goldgekrauste Fell.

Selige, ihr schmecktet euer Leben
ohne Schuld und aus der Schöpfung Kern,
selbstgenugsam, ohne Widerstreben
und wie Blätter in der Hand des Herrn!

Zackenblätter, längst vom Ast geschieden,
schmal und dunkel, längst dahingeweht,
und ihr Nistenden in Gottes Frieden,
tote Vögel, schenkt mir ein Gebet.

Zwar wir überheben uns und meinen,
unsrer Mühsal lieg' ein Kranz bereit.
Doch ihr Namenlosen und ihr Kleinen,
euer ist die grüne Ewigkeit.

IN EINER NACHT

Ich weiß nicht mehr, woher, und nicht, wohin ich geh.
Ertrunken ist die Welt im stummen Nebelsee.
Ertrunken selbst der Wind. Die Weiden knarren nicht.
Die kühle Feuchtigkeit rührt fremd an mein Gesicht.
Euch, Sterne, seh ich nicht. Wer weiß, ob ihr noch seid?
O Traurigkeit der Welt! O Welt der Traurigkeit!
Steht irgend hier ein Haus, gemauert und bedacht?
Es fällt aus schmalem Spalt ein Schimmer in die Nacht,
ein milchig trübes Gelb auf ödes, schwarzes Feld.
O Welt der Traurigkeit! O Traurigkeit der Welt!
Schon lischt es hin. Sein Trost war nur für winzige Zeit.
O Traurigkeit der Welt! O Welt der Traurigkeit!
Kalt haucht der Bach mich an, vom frühen Herbst geschwellt.
O Welt der Traurigkeit! O Traurigkeit der Welt!
Ich höre, wie ein Kind vor Angst im Schlafe schreit.
O Traurigkeit der Welt! O Welt der Traurigkeit!
Dann, wie ein frierendes, verlaufnes Hündchen bellt.
O Welt der Traurigkeit! O Traurigkeit der Welt!
Vom Turm kommt Stundenschlag. Der Morgen ist noch weit.
O Traurigkeit der Welt! O Welt der Traurigkeit!

DER MORGENSTERN

Horch! Aus der gestorbenen Dämmerwelt
kommt ein Frühwind, kommt ein Klang getreu.
Eine dünne, ferne Glocke schellt
und beruft dich neu.

Tiefbetrübter, da du aufgeschaut:
jählings aus dem finstern Wolkenkranz
tritt die holde, liebereiche Braut –
Venus, Immertrost und Freudenglanz!

Durch Jahrtausende ist sie gereist,
daß sie heute dir zu Häupten steh.
Unser keiner ist verwaist.
Gloria tibi, Domine.

AHNUNGSVOLLE STUNDE

Droben auf den Graten blitzen
späte Gold- und Purpurlitzen.

Werden blasser, werden schmäler.
Rauchblau füllten sich die Täler.

Wolken ruhen. Überm Kogel
ruft ein letzter Abendvogel.

Das Verborgene aus Jahren,
fühlst du, will sich offenbaren

und ein dunkeles Vertrauen
von den Bergen niedertauen.

ABENDS

Schmächtiger Vogel, ist der Tag
müde schon zu Nest gegangen.
Seinen letzten Flügelschlag
spür ich sanft auf Stirn und Wangen.

Irrtum, Unruh, Lust und Pein –
weiß nicht mehr, woher sie kamen,
und der schöngefügte Rahmen
schließt verblaßtes Bildwerk ein.

Weiß nur, daß ich zwistig war,
schwül der Mittag, fahl der Morgen.
Vieles hielt sich streng verborgen,
und nun ward es offenbar.

Meine Unberatenheit
wundert mich in halben Träumen.
Lag denn nicht in andern Räumen
alle Heilung längst bereit?

ABENDSCHWERMUT

Noch schweben, zart wie Libellen,
farbige Wölkchen im Licht.
Aber von Dom und Kastellen
rinnt schon das finstre Gewicht.

Strömt in die Gassenschluchten,
löscht den rötlichen Stein.
Alle Gebäude wuchten
tiefer dem Boden sich ein.

Dunkelgefiederte Scharen,
lautlos und ruhelos,
jäh emporgefahren
wie ein Nachtwindstoß –

wollen die Stirn sie mir streifen?
Hoffst du noch, Herz?
Schwärze und Schwere greifen
langsam himmelwärts.

SCHLAFLIED

Die uralte Muschel umfängt dich gelind.
So werde nun Dolde und Vogel und Kind.
Du kehrtest zurück und bist nicht mehr allein.
Nun schlafe getrost. Gott singe dich ein.

Die Kleider zerfielen, die Habe verging.
Der Atem nur blieb dir zum Leibgeding.
Der Atem, der Herzschlag ist allen gemein.
Nun schlafe getrost. Gott singe dich ein.

Von Wipfeln und Büschen schimmert es feucht.
Es liegt auf den Dächern ein weißes Geleucht.
Ists Mondlicht? Ists Schnee? Ist es Elfenbein?
Nun schlafe getrost. Gott singe dich ein.

Der Tag hat den Acker mit Salz bestreut.
Die Stunde ist da, die die Krume erneut.
Getretenes Gras erhebt sich am Rain.
Nun schlafe getrost. Gott singe dich ein.

Du hast dich gemüht und du hast dich gebangt.
Was hat dich versehrt? Was hast du erlangt?
Die Ängste, die Taten sind nicht mehr dein.
Nun schlafe getrost. Gott singe dich ein.

Die Nacht ist gelassen. Sie richtet dich nicht.
Die Schalen, sie schweben in gleichem Gewicht.
Die Freude verstummte, der Kummer ward klein.
Nun schlafe getrost. Gott singe dich ein.

Und was du gelitten, begehrt und getan,
am Himmel stehn Adler und Leier und Schwan.
Der Bär sprüht geduldig den silbernen Schein.
Nun schlafe getrost. Gott singe dich ein.

Die Welt liegt geborgen im schimmernden Netz,
im alten Vollzug und im stillen Gesetz.
Im Tiefen wachsen Metall und Gestein.
Nun schlafe getrost. Gott singe dich ein.

Nichts ist mehr verwaist und niemand verbannt,
und alles Geschaffne hat Maß und Bestand.
Die Ähre trägt Korn und der Rebstock bringt Wein.
Nun schlafe getrost. Gott singe dich ein.

MAGISCHE NACHT

Hat der Wolken goldne Hirtin
den getreuen Gang vollbracht:
großer Feste stumme Wirtin
heiße ich die Mitternacht.

Füg dich zu mir und empfinde,
wie kein Tag uns mehr umgrenzt,
wie mit silbernem Gewinde
herrlich sich die Nacht bekränzt.

Leuchtender und immer breiter
bis hinab zu dir und mir
spinnt sich eine Strahlenleiter,
und schon sind wir nicht mehr hier.

Kühl genährt von Sternenspeise
und von Mondenmilch getränkt,
haben wir dem obern Kreise
unsre Wurzeln eingesenkt.

Nichts kann uns Geheilte blenden,
und so wachsen, Schein zu Schein,
in die Mythen und Legenden
unvermerklich wir hinein.

Werden Bilder, werden Funken,
längst von Eigenem befreit,
nur noch e i n e s Rausches trunken:
trunken von Beständigkeit.

MONDENGESANG

Uraltes Geheimnis Mond,
Geheimnis der Frauen!
Pflanzengeartet wuchst ihr heran,
sonnengenährte Kinder des Tags.
Aber Mädchen geworden,
früh schon kehrt ihr euch ab,
und nun folgt ihr
dem gebietenden, großen Gestirn der Nacht
heim in verschollene Mütterzeit.

Glaubt nur: es ist nicht tot.
Über dunklem Wachstum waltet es,
öde, befruchtend,
schwindend und steigend
wie das öde, befruchtende Meer.
Ebbe ruft es und Flut,
teilt in Maße das Jahr.

Ehe die Sonne war,
Ackerjahr, Männerjahr,
ehe die Mittagsstrahlen den Saft am Rebstock
ehe das Eisen quoll aus dem Schacht [entflammten,
und es der Hammer im sonnenentstammten
Feuer gehärtet und schneidend gemacht,
daß der reisig gewordenen Knaben
blinkende Mannschaft auszog,
tödliche Beute zu haben —
eh trankt ihr die heimliche unberauschende
aus dem silbernen Trinkhorn der Nacht. [Feuchte

Denn der Mond,
listig zieht er das Feuchte an sich,
füllt es mit Kräften
und entläßt es zur Erde zurück,
Kräuter zu nähren und Moos.
So in nächtlicher Höhlen Schoß,
urjährigen Kammern der Fruchtbarkeit
sammelt aus Dünsten sich Wasser,
schweigendes Wasser, und schwankt
spiegelnd, ungewiß,
untertan jeglichem Hauch,
keinem doch formbar.

Schütze es, hüte es, Mond,
vor der Sonne, der Feindin der Stille,
vor der Trocknerin, Dörrerin, Tauverzehrerin,
vor dem tötenden Männergestirn!

Fraun, die zu Rate saßen
lichtlos und ohne Laut
an den stummen Gewässern der Nacht
und im unterirdischen rieselnden Grottensaal:
Was die Männer lange vergaßen,
ist euch zu hüten vertraut.

Und sie vergaßen so viel,
schweifend im unruhvollen, grellfarbenen
hastig an Bauten und Straßen,   [Tagesstrahl,
lärmend in Dienstbarkeit
oder im tosenden Spiel
um das Tagestrugbild der Macht.

Dies auch, die Kurzsinnigen,
wissen sie kaum noch,
daß sie aus eurer Hand
nahmen das mütterlich-schmiegsamere,
nahmen das erste Maß der Zeit
und die Zwölf, die geweihte Zahl.

Fraun, die veränderlich vielgestalten,
(wie der Mond erwächst und verglüht)
wassergleich nicht mit Händen zu halten,
(aber das Wasser, es fruchtet und blüht
aus des Geklüftes verborgensten Spalten,
Euphrat, Jordan, Nil und Cocyth!)
Frauen, fügsam den frühen Gewalten,
immer noch rauschen die weltenalten
heiligen Ströme durch euer Geblüt.

MONDSCHEIN

Ich schlief zur Finsternis,
vom wirren Tage heiß.
Der dünne Schlaf zerriß,
das Fenster schimmert weiß.

Der Mondenschein liegt blank
auf Stuhl und Boden, Tisch und Schrank,
so regungslos und so gewiß,
als wohnt er hier seit Väterzeit
und ruhte fort in Ewigkeit,
unirrbar, unversehrt.
Und ist doch grad erst eingekehrt
und noch vor Tage ist er weit.

So hat er hier geruht
vor Jahr und Aberjahr
mit seiner silberkühlen Flut,
als rings noch Wald und Gletscher war
und wüstes Land.
Und kehrt hier ein
und wird hier sein,
wenn jeder Hauch
von mir verschwand,
wenn Stuhl und Boden, Tisch und Schrank
in Schaum und Staub versank
und Haus und Ortschaft auch.

Doch wo mein Grab auch sei,
in Schutt und Ödenei,
im Fluß, im Sumpf, im Wald,
er sucht es ewig auf,
bleich, treu und kalt,
im vorbestimmten Lauf
auf immer gleichen Straßen.
Nimmt ab, wird wieder heil,
ruft Ebb und Flut,
regiert der Frauen Blut,
ist immer neu und alt,
tut schwindend allem Bauholz gut,
gibt, wenn er wächst, dem Brennholz rechte Glut
und reist und ruht.
Und ich, ich habe teil
an ihm und seinem Licht
und seinen unverrückten Maßen.

Schlaf ein im weißen Mondenschein.
Sei voller Zuversicht.
Schlaf wieder ein.

ERHEBUNG

Graut dein Haar? Horchst du beklommen
nächtlich auf des Herzens Schlag?
Jede Stunde spricht: willkommen,
jeder Tag ist Schöpfungstag.

Hebt dich aus zerwühlten Kissen
jäh erdröhnendes Geläut,
ist die Nacht hinweggerissen,
und du atmest – hier und heut!

Wand und Zäune sind gewichen,
gelbes Licht fällt brausend ein,
und im Unerschütterlichen
sollst du neu zuhause sein.

NACHTS IM FEBRUAR

In diesen Nächten
ist der März nicht mehr weit.
Rührt sich unter den Wächten
die begrabene Zeit?

Dumpf unterm Eise
poltert der Wassermann.
Wann hebt die Meise
ihre Verheißungen an?

Noch starren die Bäume, schwärzlich geästet,
über der weißen, mondenen Fläche.
Morgen tosen, vom schmelzenden Schnee
glorreich die Bäche.   [gemästet,

EIN VORFRÜHLINGSTAG

Aller Wind ist heimgegangen,
alles Wasser ruht geglättet,
Berg an Berg liegt sanft gekettet,
und der Himmel ist verhangen.

Nur ein Hauch vom Silbergrauen
weckt auf Lachen und auf Spritzern
hier und da ein stumpfes Glitzern,
und die blassen Wolken tauen.

Gipfel liegen noch im Weißen,
doch aus unbegrünten Mulden
keimt unendliches Gedulden
und unendliches Verheißen.

Langsam wächst am Himmelsschleier
ein perlmutterfarbner Streifen,
und ein erstes Vogelpfeifen
rühmt den künftigen Befreier.

SOMMERSONETT

Indessen auf den Wiesen schon der krummen
geschärften Sicheln Silberblitze glimmen,
zur heißen Zeit beflügeln sich die Immen,
wenn alle Vögel mittäglich verstummen.

Der Bäche Gluckern und der Hummeln Brummen,
der Glocken Hall, das ferne Donnergrimmen
vermummen mit gedämpften Schnitterstimmen
sich in dies honigsüße Sommersummen.

Und auch der Odem rinnt in eins zusammen,
des Harzes Kochen in den Lärchenstämmen
und tausendfarbner Hauch der Blütenflammen.

Das Jahr, zu goldner Höhe aufgeklommen,
es hat kein Maß, den Überschwang zu dämmen,
und nichts Gesegnetes ist fortgenommen.

DIE WOLKEN

Am Vortag trieben weiße Wolkenschollen,
gezackte, schwimmend durch das kühle Licht,
bis sie zu dunklen Zorngebilden schwollen.
Sie barsten, und die Wasser stürzten dicht.

Durchs Fenster hörten wir die Bäume johlen,
am Himmel klaffte jählings Schlucht um Schlucht
Im Sturme wieherten die Wolkenfohlen,
und krachend raste die gebäumte Flucht.

Die Welt beglich sich. Und im Morgendämmer
sprang fröhlich weidend auf der blauen Flur
ein Kindervölkchen hell beglänzter Lämmer,
die Vliese zausig und schon reif zur Schur.

Da sie der Hüter endlich heimgetrieben,
sind von der Herde, müdgegrast und satt,
verlorne Flöckchen nur zurückgeblieben.
Sie wuchsen, und schon reckt sich eine Stadt

mit Königsbauten, Erkern und Portalen,
perlmuttergrau und paradiesisch grün,
die Türme schimmern rosig und opalen
und andre wollen pfirsichfarb erglühn.

Ein Lobrauch wölkt sich aus verklärten Hallen,
die schweren Marmorblöcke atmen zart.
Sie regen sich und sind im Hauch zerfallen,
und große Fische ziehen ihre Fahrt.

Die breitgeschwänzten Leiber sprühn und blassen,
nun silberblank und purpurflossig nun,
durchs Unbewegte gleiten sie gelassen,
und manche stehen, wie Forellen tun.

Die Ebne dunkelt. Auch der Berge Kuppen
ergreift gemach das nächtliche Gesetz.
Dann zieht die schlanken mit den roten Schuppen
der Abend in sein goldnes Fischernetz.

HERBSTSTROPHE

Schon stößt auf junges Feldhuhnvolk der Sperber,
die Krähen haben winterlich geschrien,
schon riechts im Walde schwammiger und derber,
die Nebel stocken lange, eh sie ziehn.
Nachts wirkt im Laub ein heimlicher Verfärber
mit Gold und Scharlach, Bernstein und Rubin.
Der Ostwind klirrt, ein rechter Wangengerber,
des dunklen Jahres erster Paladin.
Die alte Schwermut überkommt uns herber:
ist nichts uns eigen? alles nur geliehn?
Im frühen Dämmer lauert der Verderber,
der letzte Gast, und wir erkennen ihn.

KALENDERBLATT

Die Vögel branden an den Türmen,
ein aufgeschrecktes Wanderheer.
Die Äquinoktien bestürmen
das sommerlich entschlafne Meer.

Doch oberhalb der trüben Schwaden,
um Gottes roten Wolkenthron
stehn die verklärten Kameraden
von der Thebäischen Legion.

Daneben kniet im weißen Linnen
der jungfräulichen Tunika
die früheste der Martyrinnen,
Sankt Thekla von Isauria.

Und dennoch scheidet sich vom Zeichen
der Jungfernschaft die Sonne hier,
und da sich Nacht und Tag vergleichen,
wählt sie die Waage zum Quartier.

Dies ist der Zeiten große Wende.
Die Schalen ruhn im Gleichgewicht.
Noch einmal atmet das Gelände
im süßen sommerfarbnen Licht.

Schon aber macht am goldnen Tage
die Sonne sich zum Fall bereit,
gehorsam dem Gesetz der Waage:
der milden Unerbittlichkeit.

Erwarte nichts. Die sanften Stunden,
verspätete, nimm als Geschenk.
Gib reichlich jedem Vagabunden
und sei des Gebenden gedenk.

Die bunten Drachen wollen steigen,
zur nahen Lese drängt der Wein.
Auch werden an verfärbten Zweigen
die gelben Birnen zeitig sein.

Die Hirsche heben an zu röhren,
der Winterkohl wird ausgesät,
und aus den grauen Nebelflören
erwächst der Morgen kühl und spät.

Die schwarzen Hollerbeeren sieden,
der Pilze Trockenzeit begann.
Bedenke dich, mach deinen Frieden
und schick dich auf den Winter an.

HERBSTLICHE TRÖSTUNG

Wohin ich auch flüchte,
Wasser rinnt im Gefälle und Sand im Stundenglas.
Ich höre die Früchte
niedertropfen ins Gras.

Kein Windhauch rührte an Apfel und Vogelbeere,
es hat sie kein pickender Schnabel, keine pflückende Hand
            erfaßt.
Nur die tief in der Frucht erwuchs, die verborgene Schwere,
löst sie tödlich vom Ast.

Aber ist diese Schwere nicht ihr herrlichstes Eigen,
eines Wesens mit ihr,
treulich genährt von dem ewig steigenden Saft in den
Herz, wovor graut es dir?   [Zweigen?

DER HERBST HÄLT
DAS HERZ DIR UMPRESST

Der Herbst hält das Herz dir umpreßt.
Und die Schwermut tropft vom Geäst.

Du hattest dem Sommer geglaubt.
Doch das Jahr hat sich heimlich entlaubt.

Sein Dämmer, sein Abend begann.
Die Pilze verfaulen im Tann.

Der Wind fährt zögernd hinaus,
umlauert, umschauert dein Haus.

Der Busch und der Sumpf sind verstummt,
und der Fluß hat sich dunkel vermummt.

Das Riedgras vergraut und vergreist.
Und du sinnst und du fühlst und du weißt:

Ein Winter wird sein und ein Wald,
da dein Schritt und dein Herzschlag verhallt.

Ein Wald und ein Winter wird sein,
da stirbst du geheim und allein.

Die Schwermut tropft vom Geäst.
Und der Herbst hält das Herz dir umpreßt.

DÜSTERER ABEND

Bald ist es Nacht.
Mit grauen, verjährten
Flechten und Bärten
starrn die uralten
Tannen und halten
dem erkalteten Jahre die Totenwacht.
Der Wind in den Zweigen,
der Hauch vor der Lippe bleibt stehn.
Zur Nacht wird ein Nebel steigen
und nie mehr zergehn.

Mariä Geburt ist noch nicht im Kalender gestanden,
aber die Schwalben sammeln sich zeitig zur Flucht.
In den staubigen Bäumen, die Straßen und Höfe umranden,
spähst du umsonst nach verschmähter, verkrüppelter Frucht.

Nur am Heckenstrauch glimmen die bitteren, bissigen Beeren,
die den Gaumen mit ätzendem Seim überziehn.
Und darüber wölbt im Dünnen, im Klaren, im Leeren
hoch der Himmel den gläsernen Baldachin.

Wo in der Ebene sich die Flügel der Windmühlen spreizen,
stehen sie, Grabkreuzen gleich, über blassem, unendlichem
                                                    Land,
mahlen den blinden Roggen, den tauben, dumpfigen Weizen,
den die giftige Sonne zu kupfernem Glanze verbrannt.

Blätter und späte Blumen müssen wie böse Geschwüre,
fiebrig von Eiter durchpocht, rötlich und gelb erglühn,
und Hagebutten ziehn im Gebüsch an der Gartentüre
zornige Spuren vergossenen Blutes ins Grün.

Hamster und Larvenvolk fühlen das Künftige drohen,
bohren sich tief in den rissigen Boden hinein.
Wo in den Gärten die bläulichen Strauchfeuer lohen,
schleicht sich der Rauch seitab wie vom Opferaltare des Kain.

Immer noch suchst du zur Mittagsstunde den Schatten,
aber der Lichtschein ist längst von heimlichen Schauern versehrt.
Dürr an den Kirchenwänden und dürr auf den Grabstein-
platten
rascheln die Totenkränze, von Tag zu Tage gemehrt.

Böden und Keller sind leer gleich hohlen Hungergedärmen,
Salz nur und Essig stehen dir reich zu Gebot.
Sparsames Reisigfeuer wird keinen Frierenden wärmen,
und vor dem Messer zerbröckelt das düstergemischte Brot.

Dünn sind die Sohlen, der Mantel, der Rock sind verschlissen,
und schon rüstet der Wind sich gellend im Ost.
Der Winter wird keine Barmherzigkeit wissen,
nur Feuchte und Frost.

Frühe wird er beginnen und wird kein Ende verheißen,
hinter den Scheiben selbst färben die Blumen sich braun.
Mörtel und Dachziegel werden vor Kälte zerreißen,
und die erfrorenen Vögel liegen geschart am Zaun.

Aber hinter der weißen, der tödlich starren Umwallung
sollt ihr verwandelt erfahren, was matt sonst und satt ihr
erfuhrt:
in der Entblößtheit, der Armut, dem Eise, der Stallung
flammend des Gottes Geburt.

NICHTS VERGÄNGLICHES VERGEHT

Und wenn den dunklen Schauer
der Herbst heraufbeschwört:
Gott ist ein Herr der Dauer,
und er will nichts zerstört.

Es kann kein Hauch vergleiten,
und nichts, was du gefühlt,
wird von Vergänglichkeiten
ins Leere fortgespült.

Es geht kein Wort verloren,
Gesprochen, prägt sichs stracks
in geisterhafte Ohren
gleichwie der Ring ins Wachs.

Verbrennt, was du geschrieben,
eh' es ein Aug gewahrt,
es bleibt dein Leid und Lieben
auf ewige Zeit gespart.

Und jegliches Getane,
mags noch so schmächtig sein,
gräbt sich dem Ozeane
des Unsichtbaren ein.

Mit allem ist ein Zeichen
für immer aufgestellt,
das in verborgnen Reichen
fortwirkend sich erhält.

Fahr auf aus Furcht und Trauer,
aus Welke, Schutt und Brand!
Gott ist ein Herr der Dauer,
und alles hat Bestand.

IM NOVEMBER

Die Berge büßen. Graues Witwenlinnen
verschleiert früh Rofan und Klobenjoch.
Schon will der Atem zu Gewölk gerinnen.
Kurz war der Herbst. Nur Stunden währt er noch.

Der See verwaist. Vom Fenster haucht es eisig.
Gefangne Winde röcheln im Kamin.
Aus schweren Wäldern nahmst du Bruch und Reisig,
dazu den fetten, harzgetränkten Kien.

Die Tannenzapfen funkeln gold und rötlich,
und jede Schuppe sprüht und zischt ergrimmt.
Du starrst ins Feuer, und dich schauert tödlich.
Die Scheite glosen. Und die Zeit verglimmt.

Dann kommt die Nacht, die Winde geben Frieden.
Der Frost klirrt auf, der Nebelschleier schwand.
Und lautlos stürzt die Schar der Leoniden
als Silbersaat ins aufgebrochne Land.

VORWINTER

Die heiligen Ufer sind stumm und leer.
Der Mond steht trauernd über dem See.
Bald fällt ein Schnee.
Und das Sterben ist schwer.

Die Tannen starren wie schwarzer Basalt.
Der Wind erfror.
Dein einsamer Schritt kracht auf und hallt
wie über den Grabgewölben im Münsterchor.

Kehr heim, dein Herz ist zu schwach,
kehr heim, eh es tödlich versehrt,
unter dein brüchiges Dach,
an den erkalteten Herd.

Kehr heim, ein versteinertes Weh
liegt bleich und wie Eis um dich her.
Bald fällt ein Schnee.
Und das Sterben ist schwer.

DIE EISBLUMEN

Nichts ist vergänglich, nichts zertrennbar,
wenn die Erscheinung abwärts fuhr,
denn unzerstörbar, unverbrennbar
erdauern Zeichen und Figur.

Wie sich verhüllte Lettern schreiben,
Palmzweige, Königsfarn und Moos!
Ich steh vor den befrornen Scheiben,
und das Geheimnis legt sich bloß.

Ihr winterlich Betrübten alle,
schaut auf und ihr gewahrt erglüht,
daß in jedwedem Eiskristalle
der ganze Sommergarten blüht.

Niemand weiß, wo ihr Nest sie bereiten.
Schimmernde Vögel, Jahrtausende lang,
ohne Beginnen und ohne Vergang,
ziehn sie gelassen durch blauschwarze Weiten.

Einer ließ zu flüchtiger Rast
auf der erstarrten Buche sich nieder.
Unter dem atmenden Silbergefieder
bebte leis der bestrahlte Ast.

DER MYSTISCHE TAU

I

Es fällt ein Tau zur Winternacht,
der alle Eise schmelzen macht.

Er sinkt in dunklen Wurzelraum,
tränkt Weinstock, Korn und Mandelbaum.

Bis alles, was der Erdgrund nährt,
sich über die Natur verklärt.

Da steht im starren Schneegefild
ein ewiger Sommer vorgebildt.

II

Du Tau, den keine Sonne trinkt,
kein Frosten zur Gefriernis bringt.

Willkommen, Tau, willkommen, Kind,
die Berge dir geniedrigt sind,

die Hügel ziehn die Buckel ein,
die Täler wolln erhöhet sein.

Die Krümmen grad wie Bolzen sind,
Eismauern dir geschmolzen sind.

Schneebäche drängen sich zu Fall,
der Weg springt freudig bis zum Stall.

Der Mond sein bestes Silber schickt.
Kreuzschnabel an der Stalltür pickt.

Das Reh äugt aus dem Waldversteck,
das Heimchen geigt im Krippeneck.

Und Ochs und Esel kennen dich,
im Schnee die Meisen nennen dich.

Der Mensch allein ist unbestellt,
das letztgeschaffne Kind der Welt.

Du aber voll Geduldigkeit
erlässest ihm die Schuldigkeit

und wartest still, – und lächelst gar –
ein zweites Mal zweitausend Jahr.

DER LEBENSTAG

Schon rötlich beglänzt sich der blauschwarze Schiefer,
die Schatten wachsen, der Wind geht ums Haus,
der Strahl fällt schräger, das Licht steht tiefer,
und jählings begreif ich: der Tag ist nun aus.

Es war der Tag mir zu Jahren geweitet.
Durch Dörfer und Moore trug mich der Schritt.
Ich habe Hausierer und Pilger begleitet.
Der Völker Leiden, ich litt sie mit.

Ich bin in Feuer und Eis gestanden,
zu Reitergefechten riß es mich fort.
Ich kehrte ums Frührot durch Gischten und Branden
mit schwarzen Booten zum Hafenbord.

Ich horchte den Hämmern, ich lauschte den Bläsern,
auf Gletscher stieg ich und fuhr in den Schacht,
ich hörte den Wind in den Rispengräsern
und das Ächzen der Wälder bei Nacht.

Das Brot, das in bitterer Asche gebacken,
die holzige Waldfrucht hat mich genährt,
Kasernen und Kerker, Spital und Baracken
haben mir Schatten und Hausung gewährt.

Ich lernte die einsamen Schmerzensnächte,
die langen, denen kein Schlummer sich streut,
das Ticken des Holzwurms, das Klopfen der Spechte,
den Grillengesang und das Frühgeläut.

An Sarkophagen, an Bahren und Wiegen
und im leeren, hallenden Haus
und im Geklüft bei den weidenden Ziegen,
im Fels bei den Adlern ruhte ich aus.

Ich forschte an Gräbern, die grün sich begrasen,
durchquerte der Märkte Gewühl und Gekreisch.
Ich hob aus dem Boden Gemmen und Vasen
und fühlte im Marmor das atmende Fleisch.

Die Tropfen, die märzlich vom Dache rannen,
das bleiche, einsame Wintermeer,
und in den tosenden Wipfeln der Tannen
die wilde Jagd und das wütende Heer,

der Wassergespenster in Tang und Algen
gedunsene Gesichter und grünliches Haar,
die Mittagsfrauen, den Spuk am Galgen,
das Volk der Dämmrung ward ich gewahr.

Die schweigend dem Weltkreis sich eingeschrieben,
die uralten Zeichen, ich hielt sie wert.
Der Menschen Begehren und Dulden und Lieben,
ich hab es geteilt und ich hab es geehrt.

Ich aß von Melonen, ich trank von Quellen,
und von der Schenken berauschtem Tumult.
Ich schwamm in der Flüsse grünrauschenden Wellen.
Ich pflanzte und zeugte und fiel in Schuld.

Der Sterne, der Steine verborgnes Bedeuten,
der Lerchentöne güldene Schnur,
der Aale Laichen, der Schlangen Häuten,
der Schnecke glitzernde Silberspur,

der Möwen schimmerndes Blitzgefieder,
der Böen, der Stürme Gezisch und Gefauch,
des abends am Strome die Flößerlieder,
und das Gelb im verdämmernden Ginsterstrauch,

des Ackers jährlich erneuerte Treue,
des Frühlings von Büschen umwundne Schalmei,
der Leberblümchen kindliche Bläue,
und der Kraniche klagender Schrei,

des Winters weißes, geweihtes Verstummen,
der Sonne goldene Löwenzeit,
um Honigblüten das frühe Summen
und des Herbstes flammende Herrlichkeit,

die großen Gesänge, die heiligen Worte,
im Herde die letzte, ersterbende Glut,
der Austritt des Lichts aus der Wolkenpforte –
dies alles erfuhr ich, und so ist es gut.

BESTIMMUNG

Ich bin nicht ich. Ein Glas trägt meinen Namen
und wehrt sich keinem Strahl.
Kein Gitterwerk, kein Vorhang und kein Rahmen
beschränkt des Lichts gewaltiges Bacchanal.
Die Scheibe ist gedehnt zum Grenzenlosen
und doch zu schmal.
Von abertausenden Apotheosen
faßt sie nur eine allzu karge Wahl.
Strömt, Farben, ein! Braust, Bilder, an und glimmt!
Euch, Hochgelobte, aufzufassen,
euch rühmlich, ungetrübt hindurchzulassen,
bin einzig ich bestimmt.
Das Glas ist nichts.
Und sollte denn die Scheibe einmal splittern,
in jeder Scherbe würde weiterzittern
die ganze Herrlichkeit des ganzen Lichts.

DER GEZEICHNETE

Niemand, niemand ist, dich freizubitten,
und dein Ort ist einsam in der Mitten.
Unablässig alles Weltentscheiden
mußt zuvor du in dir selbst erleiden.
Deinen Adel wolle hier erkennen.
Fühl das Mal auf deiner Stirne brennen.
Atme, Herz, im Eis- und Feuerbade,
unverlassen von verborgner Gnade,
und empfange du die tödlich strengen
Engel mit erhöhten Lobgesängen.

DER EINZELNE UND
DAS VÖLKERSCHICKSAL

Da unter Trümmern Halbverweste kauern,
da selbst das Unverkörperte erschlagen,
wer mißt das Leid in diesen Höllentagen
und wer den stummen Schrei geschwärzter Mauern?

Wer unter uns vermag noch zu erschauern
und tödlicher Versteinung abzusagen?
Darf sich nur einer zu entwinden wagen?
Und wer hat Anrecht auf ein Überdauern?

So wär ich nicht bestimmt, mich zu verschwenden,
das eigene Maß, ein Eigener, zu erreichen?
In welchem Zwiespalt muß ich mich vollenden!

Und nur die alte Gnade der Legenden
schreibt an des Hauses Tür vielleicht ein Zeichen,
vor dem sich scheu die Würgeengel wenden.

DAS ZEICHEN

Zur mittäglichen Zeit im höchsten Ort des Jahrs,
im goldnen Honigduft am Seegestade wars.

Im Röhricht schlief der Wind. Gelassen rann das Licht.
Und Steigen und Vergehn lag still im Gleichgewicht.

Am Ufer hielt ich Rast, an einen Stamm gelehnt.
Vor mir war blaue Flut und grüne Trift gedehnt.

Zur Seite fiel mein Blick. An einer Malve hing,
sechs, sieben Schritt entfernt, ein schwarzer
                                  Schmetterling.

Er ruhte regungslos, von jeder Willkür frei,
als ob er selber wohl ein Teil der Blüte sei.

Ich sah ihn lange an. Und so bedeutsam stand
das unbewegte Schwarz im sonnenfarbnen Land,

daß mir ein kühler Hauch fremd in die Seele floß
und für Sekunden ich die Augenlider schloß.

Ich fühlte, wie Gesetz und Ahnung sich verwob.
Und als ich wiederum den Blick zum Falter hob,

da hatte er sich schon gelöst aus seiner Ruh,
und voller Gleichmut glitt er langsam auf mich zu.

DER VERBANNTE

I

Das hohe Jahr gedieh in seine Reife.
Erkenne dich an diesem Tag der Wende.
Nicht wert, daß es ein Blick des Abschieds streife,
liegt hinter dir verwesendes Gelände.

Du hast gewagt, in diese Sklavenjahre
ein ungeschändet Menschenbild zu stellen.
Du bist verbannt. Verbannt wohin? Ins Klare,
verwiesen aus dem Lärm der Narrenschellen,

verwiesen aus dem dünstenden Gedränge,
verwiesen aus befleckender Berührung,
verwiesen aus der preisgegebnen Menge
und aus der tödlich würgenden Umschnürung,

verwiesen aus der Knechtlichkeit der Gilden,
verwiesen aus den bröckelnden Gebäuden,
den gnadenlos verdorrenden Gefilden
und dem Gefängnis zugemessner Freuden,

vom schimmelweißen Brote und vom bittern
gestockten Wasser der entehrten Bronnen
und von den lügnerisch umkränzten Gittern,
– verwiesen bist du nicht: du bist entronnen!

Gewinne dir die harten Freudigkeiten,
den streng vom Selbstbetrug entblößten Frieden.
Du scheidest dich von eingezirkten Breiten.
Vom Grund der Erde bleibst du ungeschieden.

Befiehl dich frei den niegedämmten Wogen,
die dir Verheißung und Befehl erneuern,
und unter dem verhüllten Himmelsbogen
stoß schweigend ab zu fremden Küstenfeuern.

II

Niemand wird mich missen, wenn ich gehe,
niemand den verlassnen Garten tränken,
niemand bangen, ob mir Leid geschehe,
wenn ich kranke, wird sich niemand kränken.

Keine Klage um den Ausgetriebnen,
der ins Hürdenlose aufgebrochen!
Klage, Klage den Zurückgebliebnen!
Ihnen ist der härtre Spruch gesprochen:

immer schmälre Erde zu bewohnen,
immer dünnere Atemluft zu schmecken,
immer hingesunkener zu fronen
und die Hände dennoch zu beflecken.

Weiter werden sie die Ketten schleifen,
tief den Aufschrei in geschnürten Kehlen,
oft getäuscht, nach Spinneweben greifen
und die Scham dem Spiegel selbst verhehlen.

Werden glaubenslos auf Wunder harren
und in immer kälterem Selbstverneinen
endlich, langsam Schrumpfende, erstarren
und zuletzt fast unbemerkt versteinen.

AUSZUG

Verwelktes Abschiednehmen,
das seine Zeit versäumt!
Gesichter werden Schemen,
wie angstvoll hingeträumt.
Gestelle stehn und Fächer
schon arm und ausgeräumt,
die traurigen Gemächer
in Leere wüst verkramt.

Ach, was aus deinem Herzen,
gesegnet von den Laren,
den frommgemuten Scharen
der treuen Unsichtbaren,
sich rüstig ausgesamt –
es rankte an den Wänden,
nun senkt es sich verdorrt.
Ein Fremder wirds gewahren
nach Monden oder Jahren
und löscht so Lust wie Schmerzen
mit achtungslosen Händen
wie Spinneweben fort.

Wie hohl die Schritte hallen!
Die Kisten und die Ballen
sind schweren Särgen gleich.
Geliebte Siebendinge,
an Bann und Erbe reich,
verwahrt mit Schloß und Schlinge,

vertrautest du hinein.
Doch lösest Seil und Kette
du einst an fremder Stätte,
wirds Schutt und Moder sein.

Von Kellern bis zu Böden
schwebt staubiges Veröden
wie trübe Nebelschicht.
Von Schwellen und von Decken
rinnt heimlich allerecken
ein fremdes Zwitterlicht.

Vertrieben und verraten,
die flüchtigen Penaten
starrn vorwurfsvoll und stumm.
Sie wollen wie vor Zeiten
dich wiederum begleiten,
sie suchen um und um
nach einer neuen Dauer,
nach Lampe, Herd und Mauer
und müssen doch ermatten.
Sie fürchten sich vor Weiten,
vor Furt und Windesrose,
so werden sie wie Schatten
dir unterwegs vergleiten.
Wohin? Ins Hausungslose.

Es wartet schon ein Wagen
in fahl erstarrtem Schweigen,
mit allem, was dein eigen,
dich tödlich fortzutragen.

Du wirst dir selbst zum Schemen
und fühlest mit Erschrecken
in jedem Abschiednehmen
den letzten Abschied stecken.

WIRTSHAUS VON EHEDEM

Im halben Monde schimmert feucht
der Tannen dunkelnder Behang.
Es fließt sein bläuliches Geleucht
die Felsentrümmer nackt entlang.

Wo ehedem die Einkehr war,
rauscht Wasser, das von Bergen quillt,
und zwischen Stein und Nesselhaar
liegt schief ein rostiges Gasthausschild.

Kein Wirt, kein Mädchen fragt nach dir.
Kühl weht der Wind. Kühl weht die Zeit.
Kehr ein, kehr ein und trinke hier
den Schattentrunk der Ewigkeit.

DAS QUELLENDE LICHT

Deine Zunge war verdorrt,
staubig dein Gesicht,
und du suchtest immerfort
das verborgne Licht.

Jenen Quell, der ewig frisch,
ewig sich kredenzt
und mit seinem blanken Gischt
alle Nacht beglänzt.

Standst in grauen Pilgerschuhn
vor so manchem Tor.
Wie die Unbehausten tun,
starrtest du empor.

Wandtest dich und wurdest alt,
braunes Haar erblich.
Alle, die mit dir gewallt,
sie verließen dich.

Weißt es nicht, wer dich berief
noch wer dich verbannt,
nur daß dir in Träumen tief
einst ein Licht gebrannt.

Nun das dünne Licht verglomm,
bleibst du ungestillt?
Geist und Braut, sie sprechen: Komm!
Und das Wasser quillt.

DURCH VIELE PFORTEN GING ICH AUS

Durch viele Pforten ging ich aus und trat durch viele Pforten
ein.
Mir grünten Freudenranken auf, und Freudenranken dorr-
ten ein.
Dem Leben war ich eingetraut, und wuchs das Tödliche um
mich,
so sprangen, silbern aufgeflammt, geflügelte Kohorten ein.
Wen aber je die Schlange biß, den sättigt das Gewährte nicht:
zu Totensteinen kehrte ich und zu Dämonenhorten ein.
Erfuhr ich so des Menschen Teil, so wob ich als ein Dichter
gern
der Dämmerschlucht, dem Schattenhang des Lichtes goldne
Borten ein.
Doch frag ich mich zuallerletzt, was immerwährend mit mir
ging:
in ihre Schleier hüllte mich die Schwermut allerorten ein.
Beim kühlen, bleichen Tagesgraun hat sie mich schwesterlich
geweckt
und sang getreulich mich zur Nacht mit dunklen Zauber-
worten ein.

NIE NOCH SANG ICH EIN LIED, DAS DIE HEIMKEHR PRIESE

I

Nie noch sang ich ein Lied, das die Heimkehr priese.
Nie auch hab ich der Heimkehr Stunde erfahren.
Käme sie unversehns, mir wäre die Lippe
zitternd geschlossen.

Nie mehr schmeck ich die Gaben der Vätererde,
schwarzes Brot von Roggen und weißen Branntwein,
nie mehr seh ich der Düna gelbliche Wellen
stäuben am Kalkfels.

Welcher wandert, er findet an allen Orten
über sich den seelennährenden Himmel,
findet Geläut und Dach und abends die Schwermut
wartend am Herde.

Auch das Steinerne war ein lockeres Zelt nur.
Kam ein Wind, so blähten sich Ziegel und Wände,
und der First erbebte, der rieselnden Pappel
Krone vergleichbar.

Manchmal aber geschahs, daß des Wandersteckens
dürres Holz sich unvermeint mir begrünte.
Sprossen trieb er, Blüten und Blätter und wölbte
laubig ein Dach mir.

Laubig ein Dach, im schwülen Mittag zu rasten,
laubig ein Dach, den Winter zu überdauern
– einst wohl ein Dach, das Grab vor der Ungebührnis
Blicken zu hüten.

II

Nie noch sang ich ein Lied, das die Heimkehr priese.
Nie auch war mir der Heimkehr Stunde bereitet.
Alle Schritte knirschten in fremdem Kiese.
Fremde Ströme hab ich zutal begleitet.

Wohin auch kehrt ich? Vergrast sind des Gartens Steige,
und es stockt wohl der Fuß im Gewirr der Ranken.
Trümmerliebende Sträucher breiten die Zweige,
wo einst Gäste die Dauer des Hauses tranken.

Herz, dem Efeu gleich an zerfallener Mauer!
Alle Heimat kehrt sich in Schatten und Asche.
Reiß dich, Klammerndes, aus, Widersage der Trauer.
Kein Besitz ist treuer als Stecken und Pilgertasche.

Sieh, wie groß ward dein Haus! Sein Dach ist der Himmel.
Östliche, westliche Meere spülen die Schwellen.
Freie Winde verjagen Moder und Schimmel.
Sterne ziehn auf, die Stuben blank zu erhellen.

Wohin du gehst, es fügt der Weg sich zu Wegen.
Tröstlichen Gleichmaßes voll, von Gesims und Dächern
in die schlaflosen Stunden rinnt dir der Regen.
Jährlich ertrinkt der Winter in Krokus und Märzenbechern.

Jährlich deckt der Frühling die Äcker mit Saaten,
jährlich der rote Herbst die Gräber mit Goldgewändern.
Überall trägst du mit dir die Wanderpenaten,
und Altäre erwarten dein Knie in allen Ländern.

III

Nie noch sang ich ein Lied, das die Heimkehr priese. Für kurze
Weile empfing mich nur gastlich ein Schatten, ein Dach.
Alles Gemauerte birst. Und der es beizeiten verlassen,
hat, des letzten gedenk, früh sich im Aufbruch geübt.
Aber wohin ich auch kam, nichts wollte mir süßer erscheinen
als das silberne Laub, das die Olive verbirgt.
Lieb ist Göttern der Ölbaum und heilig jeglicher Hügel,
den er geduldig erklimmt, grau mit verschnörkeltem Stamm.
Bruder ist er dem Weinstock, und Bruder dem Efeu, der Ähre,
Bruder dem südlichen Meer, Bruder dem Hirtengesang.
Oft auch findet er sich zu Hain und Waldung zusammen,
doch als ein sparsamer Wirt mißt er den Schatten genau.
Überströmend indes ersetzt er, was er versagte,
mit dem goldenen Saft, immer dem Lichte getreu.
Ach, wenn ein Hauch im Schein des gelben Mittags herauf-
kommt,
ach, wie säuselt und blitzt zärtlich in Wellen die Flut!
Aber nun gedenkt mir der weiße Schimmer der Birken,
nun das kindliche Grün, das sie erzitternd bedeckt,
nun das seidige Rauschen der reifenden Gerstenhalme,
wenn der Nachtwind sie rührt wie ein verlorener Traum.
Jedes Gewächs ist göttlich. Die Kehr zur äußersten Heimat
geht, an Zeichen vorbei, still in das Bildlose ein.

Ich zwar liebte die Bilder der Erde, die Bilder des Himmels,
und doch erwart ich, was einst keines Bilds mehr bedarf.
Zeichne mir nun die Stätte der mütterliche, der Ölbaum,
neige sich, jüngferlich schlank, Schwester Birke mir zu,
sei das Kreuz mir vielleicht aus birkenem Holze geschnitten,
seis aus Gestein, das nie eine Wurzel genährt,
göttlich ist jedes Gewächs. Es hat der Fels auch sein Wachs-
                                                        tum,
und er erschauert wie Laub, wenn in der sinkenden Zeit
zornigtosend der uralte Sturm das Gebirge hinabschnaubt,
und er streckt sich gemach, wenn ihn der Mittag umspielt.
Freilich, sein Leben ist verhüllt und verborgen. Das meine
wars nicht minder, und so bin ich der Heimkehr gewiß.

DAS SILBERNE LAND

Silbern geht der Büffel im Gespann.
Silbern steigt der Ölbaum hügelan.
Silbern blitzt der Taube Brustgefieder,
lischt im Schatten und beglänzt sich wieder.
Silbern singt der Bach vom Distelhang,
silbern Vogelruf und Glockenklang.
Mattes Silber graut in Winterschleiern.
Silber strömt aus dunklen Wasserspeiern.
Silberblüten schließt der Frühling auf.
Fische liegen silberblank zu Kauf.
Silbern an versteckten Landeplätzen,
silbern tropfts von ausgespannten Netzen.
Silbermuscheln rinnen, Silbersand
zärtlich durch die spielerische Hand.
Silbern schimmern Rauch und Felsenkamm.
Unter Silberwolken grast das Lamm.
So mit seinem Silberstifte schrieb
Gott: dies Land ist meinem Auge lieb.

SÜDEN

Licht des Himmels, Glanz der Erde!
Und du atmest mittendrin!
Schwarze Jahre der Beschwerde,
wirf sie fort. Sie stieben hin.

Sanft empfingen dich die Kuppen
abendlich in goldnem Staub.
Zärtlich hell die Ölbaumgruppen
breiten ihr geliebtes Laub.

Katzen, Lorbeer und Lazerten,
alles, was dir einst geschenkt,
Schmetterlinge in den Gärten,
unverändert, ungekränkt.

Keinen Willen mußt du rühren,
deiner Mühsal braucht es nicht.
Seliger! Wen die Falter führen,
wird wie Falter leicht und licht.

Säulen, Palmenschäfte ragen,
Brunnenstrahlen steigen steil.
Laß dich nehmen, laß dich tragen:
klare Bläue wird dein Teil.

Bist der Frühe rückgegeben,
alles Starre ward gelenk.
Noch im Schlaf spürst du das Leben
als olympisches Geschenk.

Einmal noch zu Göttertischen
lädt dich Ähre, Lamm und Wein,
deine Seele zu erfrischen
und auf ewig heil zu sein.

Und es wird, was dich versehrte,
schattenleicht, lazertenschmal.
Und der Geist der Zeugung kehrte
bei dir ein zum andern Mal.

TEMPELTRÜMMER

Hier zum Silbrig-Grünen, hier zum Feuchten
nur verhüllt gelangt das Mittagsleuchten.
Stäubig sprühn mit schläferndem Gesange
Wasserschleier kühl vom Felsenhange,
sammeln sich und tropfen von benäßten,
fleischigen Stengeln, saftgenährten Ästen.
Tausendfältig wuchern, wildverstreuter
Aussaat dankend, üppig Halm und Kräuter,
Rispen, unbedroht vom Sensenhiebe,
blaue Blüten, schlanke Staudentriebe,
Lorbeerzweige, die der Sonne wehren,
Dorngebüsch mit purpurfarbnen Beeren.
Dunkler Efeu, zäh emporgedrungen,
hält getreu das Heiligtum umschlungen.
Weißlich schimmerts noch von Marmorschwellen,
Mauerfuß und Säulenkapitellen,
Dreiecksgiebeln, quer vom Bruch zerrissen,
sturzend eingewühlt in moosige Kissen.
Über Stufen, die kein Fuß beschreitet,
hat Akanthus zackig sich gebreitet
und umwallt in ruhevollen Wogen
sein gemeißelt Abbild dort am Bogen.
Ranken, die nach luftigem Licht verlangen,
Kriechgewächse, hingeknäult wie Schlangen,
fanden längst in unbeirrtem Klettern
hüllend zu der Weiheinschrift Lettern.
Bleiche Trümmer – waren dies Gestalten?
Kenntlich nur noch die Gewänderfalten.

Nein. In Gras und Schlinggestrüpp vergraben
ruhen Arme, Glieder eines Knaben,
ruht ein Lockenhaupt, zurückgesunken,
heiliger Feuchte, süßen Schlafes trunken.
Inniges, beharrliches Umwinden,
hold geschwisterliches Wiederfinden,
sanftes Bröckeln, dumpfes Niedersplittern,
unaufhaltsam lindiges Verwittern –
bis die stillen Kräfte es erreichen,
bis das Harte sich gelöst im Weichen,
bis das Bauwerk, das die Götter ehrte,
ganz in ihre Arme wiederkehrte.

MITTAGS

Der Quell versiegt, der Wind erstarb.
Die Sonne glüht melonenfarb.

Geronnen schwelt um Baum und Strauch
ein heißer Harz- und Honighauch.

Der Efeu schließt das Höhlentor.
Zwei Panther liegen träg davor,

die schönen Leiber schlank gestreckt,
von Laub und Sonnenlicht gefleckt.

Da drinnen schläft ihr Spielgenoß,
das junge Kind Dionysos.

BILD EINER GÖTTIN

Es standen die Augen gleich goldenen Beeren
unbewegt im weißen Gesicht.
Auf der Stirne von fernen Meeren
lag ein kühles, gemessenes Licht.
Die Hände, bewehrt mit silbernen Speeren,
schienen geschaffen zu Sieg und Gericht.
Nur die Lippe fürchtete sich vor dem Leeren,
sie bat um Erbarmen und wußte es nicht.

RÖMISCHE ERDE

Vor gestürzten Ruhmessteinen
schäumt der Kinder Lärm und Lust.
Junge Mutter reicht dem Kleinen
lachend die gebräunte Brust.

Tote liegen unbetrauert
und Erschlagne ungesühnt.
Aber das Gemäuer dauert,
und die graue Eiche grünt.

Tritt, nächtlich Schweifender, in diesen Trümmerkreis.
Der zwiegehörnte Mond bescheint ihn totenweiß.
Gleich ihm, des Licht erkühlt, des Krater ausgebrannt,
dies stumme Labyrinth hat währenden Bestand.
Und wie der tote Mond geheim die Erde tränkt,
der Zeit die Richte gibt, Tier, Flut und Pflanzung
so ruht der goldne Tag, der frische Erdenring   [lenkt,
noch im Gesetz, das einst aus dieser Stätte ging.
Was dich umstarrt, es ist nicht fremd noch Totenmal.
Was schauert dich? Du stehst im eignen Ahnensaal.
Hier ist dein Ursprungsort, hier kehrst du wieder ein,
noch deinen Enkeln wird hier Maß und Erbteil sein.
Die Säulen neigen sich, der Efeu will verdorrn.
Der Brunnen «Wiederkehr» rauscht immerdar von vorn.

DURCH DIE MONDENVOLLEN STRASSEN

Durch die mondenvollen Straßen trunken treib ich auf und
nieder,
trunken wehn die Wolkenschatten, trunken wehen meine
Lieder.
Über weiße Gartenmauern schäumen trunken Tamarisken,
und im schwülen Winde trunken bäumen sich Jasmin und
Flieder.
Dunkel weht es, dunkel wallt es, hohen Ernstes, strenger
Würde,
Efeuranken, Trauervorhang, schwarzes, spiegelndes Gefieder.
Dran es klammert, dran es haftet, ungeheure Vorzeitbauten,
Trümmer breiten unverstörbar, schweigsam ihre Riesen-
glieder.
Unverstörbar, ungeheuer, herrlich dem Gestein zu Häupten
blitzt es von der Sternenjungfern silberblank gesticktem
Mieder.
Alles ist mir aufgehoben, Wehendes und Immerfestes!
Alle Dinge müssen sterben? Alle Dinge kehren wieder.

TEUTONES IN PACE

Bei meinen Vätern kann ich nicht mehr liegen.
Die Grüfte sind gesprengt und aufgerissen,
und bald wird niemand mehr die Stelle wissen
und nur die Nessel sich im Winde wiegen.

Wo aber ist das Grab mir zugemessen?
Nicht in dem Land, da ich so viel gelitten!
Dürft ich denn wählen, wollt ich mir erbitten
als Totenwächter römische Zypressen.

Hier ist der Deutschen Herz. Hier endlich wohnen
im Angesicht unsäglicher Versöhnung
und nah dem Ort der kaiserlichen Krönung
nach Schuld und Streit im Frieden die Teutonen.

ES WEHT
AUS DEM WEITEN

Es weht aus dem Weiten
von Honig und Mohn,
ein sanftes Vergleiten,
ein sterbender Ton.

Der Wind bringt wieder
in silbernem Hauch
Amsellieder
vom zitternden Strauch,

das Garbengebinde
vom vorigen Jahr,
des Weinlaubs Gewinde
und Weidenhaar.

Das Graue, das Harte
begrünt sich und treibt,
und alles Erstarrte
ist blühend verleibt.

Aus marmornen Trögen
rinnt ewig die Flut,
um Felsenbögen
spielt rosige Glut.

Ihr heimlichen Lichter
brennt ehmals und heut.
Verblaßte Gesichter
beglühn sich erneut.

Zum Sterben geboren
und steten Advent!
Nichts ist verloren
und nichts ist getrennt.

Nichts, nichts ist vergangen,
und alles bleibt dein.
So hält dich umfangen
unendliches Sein.

DIE INSELFAHRTEN

Schiffer, laß die Segel steigen!
Gottes Hand ist ausgereckt,
hat die Lampen aufgesteckt,
dir den Heimatweg zu zeigen
nach der süßen Ithaka
– oder nach den Traumgestaden
weißlich schimmernder Zykladen,
Buchten, die kein Auge sah.

Allen, die ins Irre fuhren
zwischen Scylla und Charybde,
leuchtet, selige Dioskuren!
Silberblanke Hilfsgelübde,
seid ihr tröstend aufgezogen
über öden Wasserfluren
am geschwärzten Himmelsbogen.
Leuchtet, leuchtet, Dioskuren,
über Klippen, über Wogen,
hell vergöttlichte Naturen,
leuchtet, selige Dioskuren!

Leuchtet nicht. Was brauchen wir der Sterne?
Unser Liebeswagnis ist die Ferne.
Löscht, ihr Göttersöhne! Offenbarten
sich die Straßen nicht im innern Schein?
Und die Inseln unsrer großen Fahrten
werden Lesbos, Naxos, Patmos sein.

Nicht, daß Bergengruen hier im Grünen begraben läge,
nein, das nicht – (doch, wer sagts? Noch ist sein Platz nicht
gewiß.)
Aber bist du geneigt, ein wenig sein zu gedenken,
tu es an diesem Ort, denn hier erging er sich gern.
Der du vielleicht ihm wohlwillst, sei auch dem Orte gewogen.
Hier genoß er ein Glück. Komm und tu es ihm nach.
Oftmals hat er hier im Sommer den Schatten gekostet,
oft im verlängerten Herbst sich an der Sonne erquickt.
Grüner, laubiger Gang! und grauverwitterte Säule,
blank von Efeu umstrickt und von Lazerten besucht!
Fünffach strahlen die Wege von dir. Geschorene Hecken
fassen sie mannshoch ein; jeder erkor sich ein Ziel.
Einer das Standbild der Melancholie; es fehlt ihm die Nase,
aber der sinnende Blick blieb doch dem Antlitz getreu.
Auch den Weg zur Rechten erwählte gerne der Schlendrer,
folgte ihm heiter und blieb lang vor der Sonnenuhr stehn,
die, seit der Zeiger zerbrach, der rostige, nie mehr die Stunde
angibt, aber das Auge zwölffach mit Bildern ergötzt.
Las die verschnörkelte Schrift: «Fugit irreparabile tempus»
und beschied sich getrost in das verhängte Gesetz,
wie es der Zeiger getan, der längstgeschwundne; vergebens
forscht der sorgliche Blick nach der Stelle des Bruchs.
Aber war er nicht das Herzstück der Uhr? Nur ihm zu Be-
war sie gefertigt; mit ihr dauert er immer noch fort. [lieben
Oft ging Bergengruen links zur kühlen, dämmrigen Grotte,
wo es die Wände hinab rauschte, tropfte und sang.

Künstlich ward sie errichtet, und doch den Tiefen der Erde
ist der Baustoff entstammt. Möge sie fernerhin stehn!
Der die Höhlen verehrt, die feuchten, dunklen der Vorzeit,
leicht befuhr er der Wand rauhen, felsigen Schurf
mit dem mittleren Finger. Sodann bedachtsam, in Ehrfurcht
und mit gläubigem Sinn netzte er weltlich die Stirn.
Trat er wieder hinaus, wie leuchteten vor ihm die Blüten,
und wie treulich empfing ihn das geläuterte Blau!
Sorgsam fand er die Beete gepflegt, doch, wie es ihm lieb
war,
lässig zugleich, und der Wuchs quoll über Richtstab und
Schnur.
Bald an Päonien sich, an Tulpen und Lilien freuend,
bald am flammenden Phlox, bald am Hortensienbusch,
bald an den hohen, den schlanken, den leichthin schwanken-
den Malven,
wie es die Jahreszeit gab, schritt er verweilend hindurch,
selten Menschen begegnend und ihre Laute vernehmend,
schwirrendem, summendem Volk um so holder gesinnt.
Auf und nieder ging er im zitternden Schatten der Blätter.
Beeren leuchteten rot aus dem gefiederten Laub.
Denn der Vogelbeerbaum, der Esche bescheidnerer Bruder,
war hier behaust, und der Herbst reifte ihm reichlich die
Frucht,
die den Vogel ernährt, den Menschen froh macht; kein
andrer
Branntwein östlichen Lands weiß wie der ihre die Kunst,
süß das Herbe und herb das Allzusüße zu machen,
und an der Waage der Brust richtet die Schalen er gleich.

Danach gings an Hecken vorbei und besonntem Gemäuer,
das des rötlichen Weins Ranke geduldig erklomm.
Jetzt wohl hat der Lustwandler im feuchten Revier des
Baches
unter den Erlen den Pfad nackter Schnecken gekreuzt,
schwarzer und rostigbrauner, am regnichten Tage verviel-
facht,
wie er im Garten zuvor hoch am Judasbaumstamm
die gestreiften, die runden, die grünlichweißen Gehäuse
reglos haften gesehn gleich dem Rankengewächs.
Kostbarer dünkte ihn dann als Eile die scheinbare Trägheit.
Unermessne Geduld offenbarte sich still.
Endlich trieb aus Gedanken ihn auf der Schlag der entfernten
Turmuhr. Er zählte nicht mit. Elfmal, drei oder fünf,
wenig galts ihm. Die Klänge begleiteten nur, sie befahlen
nicht mit Strenge. Den Gang setzte gelassen er fort.
Roch des Honigs Gedüft von gelblich blühenden Stauden;
dunkles Bienengeläut füllte mit Süße das Ohr.
So gelangt er zu Schatten und sonnigem Raum der
Kastanien.
Vierfach waren ihm dort Lustbarkeiten bereit.
Erst das bräunliche Glitzern der kleinen, klebrigen Knospen,
dran der Finger so gern zärtlich haftend verweilt.
Dann über mächtigen grünen, halb schläfrig hangenden
Blättern
hochzeitlich streckt sich der Schaft schimmernder Kerzen
empor,
ewiger Zeugung zu Preis und Gewähr! Noch im sinkenden
Jahre,
noch in Nebel und Reif funkelt im Herzen der Trost.

Später sind es die honig-, die bernsteinfarbenen Blätter,
von der Sonne durchströmt. Langsam leert sich der Baum.
Langsam vor immer größrem, vor immer blauerem Himmel
gleiten sie abwärts, vom Jahr liebreich zur Erde bestimmt,
in der windlosen Luft von der eigenen Schwere, der eignen
Milde getragen. Der Schwall türmt sich und bräunt sich im
Gras.
Ach, wie tut es dem Herzen so hold, sich alter, entlegner
Kinderkünste zu freun, die es doch niemals verlernt!
Ach, mit den Füßen am Boden im Blattgewühle zu rauschen!
(Scharre nur, scharre nur, Fuß! Wirst bald selber verscharrt.)
So auch die weiße Frucht des Schneebeerstrauchs zu zertreten,
die auf den Wegen sich häuft. Immer noch kindisch wie einst
unter der Sohle hervor den leichten Knall zu vernehmen,
der die Ohren noch heut spielerisch-sinnlos entzückt!
Aber die klarere, innigste Lust verschenkt doch der leise
Aufprall im Gras. Es eilt klopfenden Herzens hinzu,
der ihn hörte, erhebt die grüne, stachlige Kugel,
und die verheimlichte Frucht schält er behutsam hervor.
Ja, da liegt das Vollkommne, das Stillgereifte, von keinem
Aug noch erblickt! Keine Hand hats vor der seinen berührt.
Bald, so weiß er, wirds runzlig und welk, doch jetzt auf der
Linken
wiegt er den glänzenden Kern, weiß und bräunlich gescheckt,
wiegt ihn auf ewige Zeit und vor dem Auge der Gottheit.
Denn die reine Gestalt weiß von Vergänglichkeit nicht.
Spät erst riß er sich los. Die wenigen bröckligen Stufen
stieg er zum Wasser hinab. Hinter dem Schilfrand hervor
scholl ihm entgegen der Rohrdommel Ruf. Es sogen die
herzhaft des Elements faulig-frischen Geruch.   [Nüstern

Gleich entsann sich die Zunge so mancher Forelle, so manches
fetten Karpfengerichts, goldig geräucherten Aals,
gleich sich das Ohr des drängenden, zerrenden Winds in der
Leinwand,
knarrenden Rudergeräts und des Gemurmels am Bug.
Netze wurden geflickt und getrocknet, Boote gestrichen,
und der erwärmte Teer mischte sich kräftig dem Rauch.
Muscheln blinkten im Sand, des Bernsteins lichtes Gefängnis
hielt des heilen Insekts zierliche Formen bewahrt.
Nächtlich glühte das Leuchtfeuer auf. Sirenen erdröhnten.
Über des Hafens Gelärm reckten sich Masten und Kran.
Als ein Streifen erschien die dunkelbewaldete Küste
um das Kap Domesnäs. Rebhügel rahmten den See.
Enten quarrten im Ried. Die Flut am Mühlenwehr brauste.
Und in südlichem Glanz tanzte ums Schiff der Delphin.
Halt und genug! Wo leitet es hin? Die luftigen Bilder
lösen in Dünsten sich auf, wie sie aus Dunst sich geformt.
Näher trat er heran und ließ gemächlich sich nieder
auf der moosigen Bank, fütterte Möwe und Schwan,
rauchte und ließ den Blick die schillernde Fläche bestreichen,
die von Süden ein Hauch lindig kräuselnd belebt.
Jenseits des Wassers erhob sich in blauem Duft das Gebirge.
Welches Land es verhüllt? Wunsch und Gedanke sind frei.
Konnte die Kuppel nicht dort im rosigen Dämmerlicht
schweben,
von Zypressen gestützt, abends vom flügelnden Hauch
wachsamer Engel gekühlt? Und konnten nicht Lorbeer,
Limone,
nicht der Agave Stamm, nicht das silberne Öl
in der Tiefe des Mittags, im geigenden Lied der Zikade,

so als sei es schon Nacht, in den unendlichen Schoß
ihrer Stille, der eignen, mit ihnen erwachsenen, kehren?
Rauschte nicht Weizengebreit? Birkenumflüsterter Sumpf,
schmatzte er blasig nicht auf und brodelte dumpf? Und der
                                                Faulbaum
senkte des schweren Geruchs zögernde Wolke hinab?
Läuteten Schellen nicht hell von galoppierenden Schlitten?
Stäubte der Schnee nicht vom Turm? Krähen- und Dohlen-
                                              geschrei
brandete schwarz um getreppte Giebel! Die gräsern erblühte
Steppe schütterte weich unter der Hufe Gestampf . . .
Schweifenden Mutes spielte er so und gedachte der Städte,
die er vor andern liebte – Riga und Kiew und Rom.
Er erwog die Läufe der Welt und bedachte sein Schicksal,
und er rühmte zuletzt, was auch ihm je widerfuhr.

FRAGE UND ANTWORT

«Der die Welt erfuhr,
faltig und ergraut,
Narb an Narbenspur
auf gefurchter Haut,

den die Not gehetzt,
den der Dämon trieb –
sage, was zuletzt
dir verblieb.»

«Was aus Schmerzen kam,
war Vorübergang.
Und mein Ohr vernahm
nichts als Lobgesang.»

INHALT